Este livro pertence a

_____

Meu Tesouro de Contos e Rimas de Animais

© 2013 Hinkler Books Pty Ltd.
Editor: Louise Coulthard
Design de capa: Anton Petrov
Ilustrações: Andrew Hopgood, Melissa Webb, Gerad Taylor, Geoff Cook, Bill Wood, Anton Petrov e Marten Coombe
(My Nursery Rhyme Collection); Brijbasi Art Press Ltd (My Treasury of Five-Minute Tales); Melissa Webb, Anton Petrov,
Omar Aranda, Suzie Byrne, Mirela Tufan e Dean Jones (My Treasury of Bedtime Tales); Omar Aranda, Suzie Byrne,
Melissa Webb (My Treasury of Fairytales)
Todos os direitos reservados.
Direitos exclusivos da edição em Língua Portuguesa adquiridos por © 2013 Todolivro Ltda.
Tradução: Bárbara Fernandes Goedert
Revisão: Madalena Parisi Duarte
IMPRESSO NA CHINA

Conteúdo

Introdução

DIVIDIR CONTOS DE FADAS E RIMAS INFANTIS COM AS CRIANÇAS ABRE PORTAS PARA UM MUNDO DE MAGIA E MISTÉRIO E AJUDA A CRIAR UM AMOR PELA LEITURA.

OS CONTOS DE FADAS E RIMAS INFANTIS NÃO SÓ ENVOLVEM A IMAGINAÇÃO - MESMO DA CRIANÇA MAIS NOVA -, COMO TAMBÉM AJUDAM NA COMPREENSÃO DE DIFERENTES SITUAÇÕES E EMOÇÕES.

ANIMAIS APARECEM EM HISTÓRIAS E RIMAS DESDE ANTIGAMENTE E COM CARACTERÍSTICAS DIVERSAS: O PROTAGONISTA PRINCIPAL DA HISTÓRIA (A GALINHA VERMELHA E O PATINHO FEIO); UM AJUDANTE QUE ACONSELHA O PERSONAGEM PRINCIPAL (O GATO DE BOTAS); OU UMA FIGURA AMEAÇADORA TENTANDO TIRAR VANTAGEM (O LOBO, EM OS TRÊS PORQUINHOS). ANIMAIS SERÃO FREQUENTEMENTE UTILIZADOS PARA REPRESENTAR ASPECTOS DA VIDA HUMANA E COMPORTAMENTOS, UM PROCESSO CHAMADO ANTROPOMORFISMO (PENSAR EM UM BURRO TEIMOSO, UM MACACO ATREVIDO OU UM PAVÃO ORGULHOSO).

RIMAS INFANTIS É O INÍCIO DA LINGUAGEM E ELAS DEVEM SER REALMENTE ALTAS — ALTAS E ENTUSIÁSTICAS! É MUITO DIVERTIDO FAZER TODOS OS SONS DE ANIMAIS PARA *O VELHO MCDONALD TINHA UMA FAZENDA* E DAR RISADINHAS EM *MACACOS NA CAMA*.

A TRADIÇÃO DOS CONTOS DE FADAS E DO FOLCLORE ESTÁ CONOSCO HÁ SÉCULOS. CONTOS DE FADAS SÃO ENCONTRADOS EM TODAS AS CULTURAS, E SÃO IMPORTANTES HERANÇAS DE UMA RICA HISTÓRIA DE FOLCLORE ORAL QUE TEM SIDO DESENVOLVIDA NO DECORRER DOS ANOS.

ESTA COLEÇÃO TRAZ RIMAS INFANTIS TRADICIONAIS E CONTOS ANIMAIS CLÁSSICOS DE AUTORES NÃO CONHECIDOS A AUTORES COMO HANS CHRISTIAN ANDERSEN, CHARLES PERRAULT E OS IRMÃOS GRIMM.

ESPERAMOS QUE VOCÊ GOSTE DE COMPARTILHAR ESTES CONTOS E RIMAS.

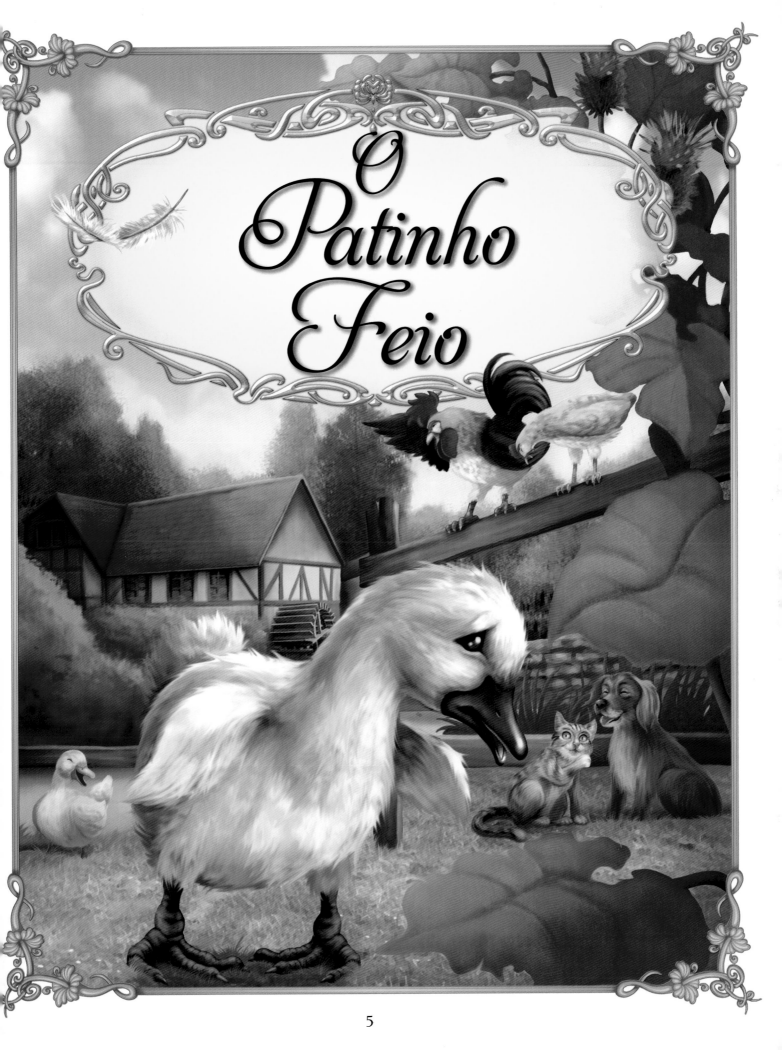

O Patinho Feio

Era um lindo verão no campo. O milho estava dourado, a aveia verde e os palheiros estavam empilhados no pasto. A cegonha andava com suas longas pernas vermelhas, tagarelando em Egípcio, língua que sua mãe havia ensinado. Depois dos campos de milho e pastos havia grandes florestas e, no meio delas, lagos profundos. Era realmente muito lindo.

Em um local ensolarado, próximo a um rio fundo, ficava a agradável casa da fazenda. Ao longo do rio haviam crescido grandes folhas de bardana, tão altas que uma criança conseguia ficar embaixo delas.

Neste cenário confortável, uma pata sentou-se em seu ninho, esperando seus ovos se quebrarem. Ela estava cansada de esperar, já que seus pequenos estavam demorando a sair e ela não recebia nenhuma visita. As outras patas preferiam nadar no rio frio, a subir pela encosta lamacenta para conversar com ela.

Finalmente os ovos se partiram, um após o outro. E de cada ovo surgiu uma pequena criatura, que levantou sua cabeça e exclamou "Piu, piu!"

"Quack, quack", respondeu a mãe, e então todos responderam, e ela olhou para eles entre as grandes folhas verdes. A mãe deixou-os observar tudo o tempo que quisessem - o verde é bom para os olhos.

"Todos estão prontos?", perguntou a pata a si mesma. "Não, o ovo maior ainda está aqui. Espero que este não demore muito, já que estou cansada disso." E sentou-se novamente no ninho.

Uma pata mais velha veio visitá-la. "Como está você?", perguntou.

"Um ovo ainda não se partiu", respondeu a pata. "Mas os outros são os patinhos mais lindos que você já viu!"

A velha pata olhou para o ovo maior ainda inteiro. "Tenho certeza de que este é um ovo de peru. Eu fui enganada e cuidei de um, certa vez. Depois tive problema com meus filhotes, que ficaram com medo de entrar na água. Aceite meu conselho. Deixe-o onde está e ensine os demais a nadar".

"Vou ficar sentada sobre ele só mais um pouquinho", disse a pata. "Mais alguns dias não custa nada".

"Como quiser". Disse a velha pata, e foi embora.

Enfim, o grande ovo se partiu. Um pássaro apareceu, exclamando "Piu, piu!" Era muito grande e feio, com penas cinza. A pata disse: "É tão grande e não se parece com os outros! Talvez seja mesmo um peru. Vou descobrir quando formos para a água. Ele vai entrar, mesmo que eu tenha que empurrá-lo".

No dia seguinte, o sol brilhou fortemente nas folhas verdes, e então a mãe pata levou suas crianças para a água. Ela pulou dentro e gritou "Quack, quack!" Um após o outro, os patinhos caíram na água atrás da mãe. Eles afundaram, mas logo surgiram à superfície e já estavam nadando graciosamente, com suas pernas balançando embaixo da água. O patinho feio também estava na água, nadando tão bem quanto os outros.

"Bem, ele não é um peru", disse a mãe. "Veja como ele nada bem e como permanece acima da água. Ele não é tão feio, se você olhar bem. Vamos, crianças, vou levar vocês para a sociedade e apresentá-los no pátio da fazenda. Fiquem perto de mim para não tropeçar e, acima de tudo, cuidado com o gato!"

Quando chegaram ao pátio da fazenda, a mãe pata disse: "Vamos ver se vocês se comportam bem. Abaixe a cabeça para aquela velha pata ali. Ela é a mais velha de todas. Estão vendo a bandeira vermelha amarrada em sua pata? É sinal de grande honra, e demonstra como todos se preocupam em não perdê-la. Venham, agora, curvem a cabeça e digam 'quack!'"

Os patinhos fizeram como foi dito, mas os demais patos pararam e murmuraram: "Que patinho mais estranho aquele!" Um pato maldoso voou até o patinho feio e lhe deu uma bicada.

"Deixe-o em paz!", gritou sua mãe. "Ele não está fazendo nada de mal".

"Ele é tão grande e feio", disse o pato maldoso. "Ele deveria ir embora".

"Os outros são tão bonitos", disse a velha pata. "Que vergonha! E esse aí não pode nascer novamente!"

"Ele não é muito bonito, senhora", disse a mãe pata, "mas ele tem uma grande disposição e nada melhor que os outros. Acho que ele ficou no ovo tempo demais e sua figura não foi devidamente formada".

"Os outros patos são suficientemente graciosos", disse a velha pata. "Agora, vão para casa".

A família foi para casa. Mas o patinho feio foi perseguido, empurrado, bicado e vaiado por todas as aves da fazenda. E ficava pior a cada dia. O patinho era caçado por todos e até mesmo seus irmãos e irmãs o insultavam, e sua mãe disse que desejava que ele nunca tivesse nascido. Enfim ele fugiu, assustando os passarinhos na cerca enquanto voava.

"Eles estão com medo, porque sou muito feio", pensou o patinho feio. Ele fechou os olhos e voou até um grande brejo, onde alguns patos selvagens moravam. Ali ele passou a noite, muito cansado e triste.

Pela manhã, os patos selvagens olharam espantados para ele. "Que tipo de pato você é?", eles perguntaram, juntando-se à sua volta. O patinho feio curvou-se para eles, mas não respondeu.

"Você é muito feio", disseram os patos selvagens, "mas você parece ser legal e pode ficar, desde que não queira se casar com ninguém do nosso bando". Pobre patinho! Tudo que ele queria era ficar deitado entre os arbustos e beber um pouco de água.

Ele estava ali havia dois dias, quando dois jovens gansos selvagens achegaram-se a ele. "Você é tão feio, mas gostamos de você", disse um deles. "Quer viajar conosco?"

"PUM, PUM!" DE REPENTE, UM BARULHO NO AR, E OS DOIS GANSOS CAÍRAM MORTOS NO CHÃO. "PUM, PUM!" ECOOU NOVAMENTE, E OS PATOS E GANSOS VOARAM PARA O ALTO. CAÇADORES CERCARAM O PÂNTANO E O SOM CONTINUOU, VINDO DE TODAS AS DIREÇÕES. ENTÃO OS CÃES DOS CAÇADORES SURGIRAM CORRENDO, DO MEIO DOS ARBUSTOS.

O POBRE PATINHO ESTAVA ATERRORIZADO! UM ENORME E TERRÍVEL CACHORRO CHEGOU PERTO DELE, COM SUAS MANDÍBULAS ABERTAS E A LÍNGUA DE FORA. ELE CHEIROU O PATINHO FEIO E LATIU; SEUS DENTES E SEUS OLHOS BRILHAVAM, E ENTÃO SAIU CORRENDO SEM TOCÁ-LO. "SOU TÃO FEIO QUE NEM UM CACHORRO ME MORDE...", LAMENTOU O PATINHO.

O DIA TODO ELE FICOU DEITADO, ENQUANTO OS TIROS ESTOURAVAM SOBRE SUA CABEÇA. NÃO ERA TÃO TARDE QUANDO OS SONS PARARAM E TUDO FICOU CALMO, MAS O PATINHO FEIO ESTAVA MUITO ASSUSTADO E NÃO SE MEXEU POR VÁRIAS HORAS. ELE CORREU DO PÂNTANO O MAIS RÁPIDO QUE PÔDE, ATÉ CAIR UMA TEMPESTADE.

Ao cair da noite, ele foi até uma pequena cabana. A tempestade estava tão forte que o patinho não conseguia mais andar, e então sentou-se ao lado dela. Ele percebeu que uma das portas estava quebrada e caída de um jeito que daria para ele entrar, e foi o que fez, silenciosamente.

Uma senhora morava na cabana, com seu gato e sua galinha de estimação. De manhã, eles descobriram o hóspede, e o gato começou a ronronar e a galinha a piar. "Que barulho todo é esse?", perguntou a senhora.

Sua visão já não era tão boa. Então, quando a senhora viu o patinho, ela pensou que fosse uma pata. "Que sorte!", ela exclamou. "Agora teremos ovos de pata, a menos que seja um pato. Vou esperar e ver."

O GATO E A GALINHA SE ACHAVAM O DONO E A DONA DA CASA, E NÃO FICARAM FELIZES COM AQUILO. O PATINHO FOI CONVIDADO A FICAR NA CASA EM EXPERIÊNCIA, MAS NÃO HAVIA OVOS.

"VOCÊ PODE BOTAR OVOS?", PERGUNTOU A GALINHA.

"NÃO", ELE RESPONDEU.

"ENTÃO, SEGURE SUA LÍNGUA!", DISSE A GALINHA.

"VOCÊ PODE DOBRAR SUAS COSTAS, RONRONAR OU MIAR?", PERGUNTOU O GATO.

"NÃO", DISSE O PATINHO.

"ENTÃO, FIQUE QUIETO QUANDO PESSOAS SENSATAS ESTIVEREM FALANDO!", DISSE O GATO.

O PATINHO FICOU NUM CANTO, SENTINDO-SE MUITO INFERIOR E TRISTE. ENTÃO, UM DIA, O BRILHO DO SOL ENTROU NA SALA ATRAVÉS DA PORTA ABERTA. O PATINHO SENTIU MUITA VONTADE DE IR NADAR, E CONTOU PARA A GALINHA.

"QUE ABSURDO É ESSE?", DISSE A GALINHA. "VOCÊ NÃO TEM NADA PARA FAZER, ENTÃO FICA ENCHENDO A CABEÇA COM FANTASIAS. SE VOCÊ PUDESSE BOTAR OVOS OU RONRONAR, NÃO TERIA ESSAS IDEIAS."

"MAS É TÃO MARAVILHOSO NADAR NA LAGOA...", DISSE O PATINHO. "E TÃO REFRESCANTE MERGULHAR ATÉ O FUNDO..."

"Você deve ser louco!", disse a galinha. "Pergunte ao gato se ele gostaria de nadar. Pergunte à nossa dona se ela gostaria de mergulhar na água! Eu aconselho você a aprender a colocar ovos ou ronronar o mais rápido possível."

"Você não me entende", disse o patinho. "Acho que tenho que sair pelo mundo, novamente."

"Na verdade, você deve", disse a galinha. E então o patinho feio deixou a cabana. Logo ele encontrou água para nadar e mergulhar, mas os outros animais o evitavam, porque ele era muito feio.

O outono chegou e as folhas ficaram douradas. Com a aproximação do inverno, as árvores ficaram descobertas e nuvens escuras cobriram o céu.

19

Certa tarde, ao pôr do sol, um grande bando de lindos pássaros voava acima. O patinho nunca tinha visto criaturas assim, antes. Eram cisnes, com penas brancas e longas, deslumbrantes, pescoços graciosos, que estavam voando para países mais quentes. Eles faziam um som peculiar enquanto voavam.

O patinho sentiu-se estranho enquanto os observava. Ele girou ao redor, na água, e levantando seu pescoço em direção a eles, fez um barulho tão estranho que assustou a si próprio. Ele estava muito animado, e percebeu que nunca iria se esquecer daqueles pássaros tão belos. O que sentia em relação a eles, ele nunca havia sentido antes por nenhuma outra criatura.

Durante o inverno, a água ficou fria e mais fria. O patinho feio tinha que nadar em cima da água, que ficava a cada dia mais congelada. A cada manhã o espaço ia ficando menor e menor.

Finalmente, a água começou a se congelar ao seu redor e ele teve que se esforçar com suas patas o máximo possível. Ele lutou tanto, que acabou caindo exausto sobre o gelo.

Na manhã seguinte, um fazendeiro estava passando e encontrou o patinho. Ele quebrou o gelo em volta do patinho com seus sapatos e o carregou para casa, para a esposa.

A esposa do fazendeiro cuidou da pobre criatura, e então seus filhos tentaram brincar com ele. Sem entender nada, o patinho feio pensou que eles quisessem machucá-lo. Desesperado, esbarrou na panela de leite, que se espalhou por todo lado. Em seguida, voou por cima do pote de manteiga e de uma vasilha com carne. Em que triste estado ele ficou!

A esposa gritou e o espantou com a vassoura, enquanto seus filhos riam e gritavam, caindo uns sobre os outros ao tentar pegá-lo. Finalmente, ele escapou pela porta aberta e se deitou exausto, embaixo de um arbusto, na neve.

O pobre patinho sofreu muita miséria e privações durante o forte inverno. Ele estava sobrevivendo em um pântano, quando o sol começou a brilhar e os pássaros começaram a cantar novamente, na primavera.

O patinho notou que suas asas estavam mais fortes e levantou-se no ar. Ele voou até chegar a um grande jardim. As árvores estavam floridas e um riacho corria pelas terras. Então o patinho viu três belos cisnes, nadando suavemente sobre a água calma. Ele se lembrou desses belos pássaros e sentiu-se mais triste do que nunca.

"Vou até esses pássaros", ele pensou, "Mesmo que eles me matem por eu ser muito feio e ter ousado me aproximar deles. Deve ser melhor que ser bicado pelos patos, pelas galinhas ou morrer de fome no inverno."

O patinho pousou na água e nadou em direção aos cisnes. Quando eles o viram, correram para ele com as asas abertas.

"Matem-me", disse o pobre patinho, e abaixou a cabeça, esperando que eles o agredissem.

Mas, o que ele viu refletido no lago? Ele viu sua própria imagem – não mais feia nem cinzenta –, e sim, um belo e gracioso cisne jovem. Ser nascido em um ninho de patos não tem consequências se esse alguém for um cisne. O patinho sentiu-se feliz por ter superado toda a tristeza e dificuldade. Finalmente, ele podia gozar toda a alegria e prazer que estava sentindo agora. Os outros cisnes nadaram ao seu redor e lhe deram as boas-vindas.

Algumas crianças vieram até o jardim e jogaram migalhas de pão na água. "Tem um novo ali!", elas gritaram. E correram para seus pais, gritando: "Mais um cisne chegou! Ele é o mais lindo de todos! Ele é tão jovem e belo!" Os outros cisnes baixaram suas cabeças para ele.

Então, envergonhado, ele escondeu a cabeça em baixo de suas asas, pois não sabia o que fazer. Estava muito feliz, mas não orgulhoso. Ele tinha sido tão odiado por sua feiura, e agora ouvia dizerem que era o mais bonito... O sol brilhou quente e forte, e ele abaixou sua cabeça e chorou de alegria, do fundo do seu coração. "Nunca sonhei com tanta felicidade assim, quando eu era um patinho feio!"

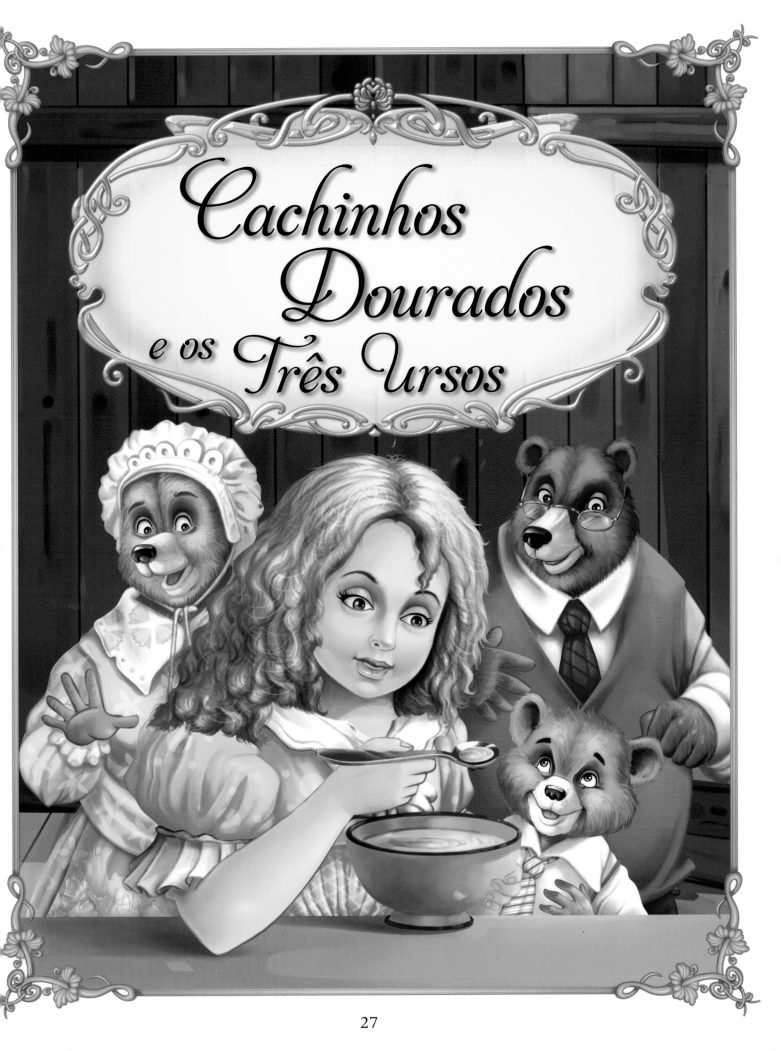

Cachinhos Dourados
e os Três Ursos

ℰRA UMA VEZ... TRÊS URSOS QUE VIVIAM JUNTOS EM UMA CASA NA FLORESTA: O PAPAI URSO, A MAMÃE URSA E O URSINHO.

CADA UM DELES TINHA UMA TIGELA PARA O SEU MINGAU DE CEREAL: UMA TIGELA GRANDE PARA O PAPAI URSO; UMA TIGELA DE TAMANHO MÉDIO PARA A MAMÃE URSA; E UMA TIGELA PEQUENA PARA O URSINHO. CADA UM TINHA UMA CADEIRA PARA SE SENTAR: UMA CADEIRA GRANDE PARA O PAPAI URSO; UMA CADEIRA MÉDIA PARA A MAMÃE URSA; E UMA CADEIRA PEQUENA PARA O URSINHO. E CADA UM TINHA UMA CAMA PARA DORMIR: UMA CAMA GRANDE PARA O PAPAI URSO; UMA CAMA MÉDIA PARA A MAMÃE URSA; E UMA CAMA PEQUENA PARA O URSINHO.

Certo dia, eles fizeram seu mingau de cereal para o café da manhã e o despejaram nas tigelas. Então, decidiram sair para uma caminhada na floresta enquanto seu mingau estava esfriando, para que não queimassem suas bocas. Afinal de contas, eles eram ursos sensatos e bem-educados.

Enquanto os ursos estavam fora, caminhando, uma garotinha chamada Cachinhos Dourados passou por ali. Ela viu a casa e olhou pela janela. Cachinhos Dourados bateu à porta, e então se abaixou e espiou pelo buraco da fechadura. Ela pôde ver que ninguém estava em casa; então ela levantou o trinco e entrou.

Cachinhos Dourados ficou muito satisfeita quando viu as tigelas de mingau sobre a mesa. É claro que a maioria das pessoas esperaria os ursos voltarem para casa, e teria esperança de receber um convite para tomar café da manhã.

No entanto, Cachinhos Dourados era muito mimada e bastante mal-educada; então começou a se servir sozinha.

Primeiro, ela experimentou o mingau do Papai Urso, mas ele estava quente demais.

Em seguida, ela experimentou o mingau da Mamãe Ursa, mas ele estava frio demais. Depois, ela experimentou o mingau do Urso Filhote, e ele não estava nem quente nem frio demais. Ele estava no ponto. Cachinhos Dourados gostou tanto do mingau de cereal que o comeu todinho.

Então Cachinhos Dourados se sentiu cansada; por isso, ficou muito contente quando viu as três cadeiras. Primeiro, ela experimentou a cadeira do Papai Urso, mas ela era dura demais.

Em seguida, ela experimentou a cadeira da Mamãe Ursa, mas ela era macia demais. Depois, ela experimentou a cadeira do Ursinho, e ela não era nem dura nem macia demais. Ela era perfeita. Cachinhos Dourados gostou tanto da cadeira, que se sentou nela até que esta cedeu e ela caiu no chão. Isso a deixou muito zangada.

CACHINHOS DOURADOS AINDA ESTAVA SE SENTINDO MUITO CANSADA. ENTÃO, ELA SUBIU AS ESCADAS PARA O QUARTO, ONDE ENCONTROU TRÊS CAMAS. PRIMEIRO, ELA EXPERIMENTOU A CAMA DO PAPAI URSO, MAS ELA ERA DURA DEMAIS. EM SEGUIDA, ELA EXPERIMENTOU A CAMA DA MAMÃE URSA, MAS ELA ERA MACIA DEMAIS. DEPOIS, ELA EXPERIMENTOU A CAMA DO URSINHO, E ELA NÃO ERA NEM DURA NEM MACIA DEMAIS. ELA ERA PERFEITA. CACHINHOS DOURADOS GOSTOU TANTO DA CAMA, QUE PUXOU OS COBERTORES SOBRE SI E LOGO ADORMECEU.

A ESSA ALTURA, OS TRÊS URSOS ACHAVAM QUE SEUS MINGAUS ESTARIAM RESFRIADOS O SUFICIENTE, E VOLTARAM PARA CASA PARA TOMAR O CAFÉ DA MANHÃ. QUANDO CHEGARAM À MESA, ELES VIRAM QUE ALGUÉM TINHA DEIXADO AS COLHERES DENTRO DOS PRATOS DE MINGAU.

"ALGUÉM ANDOU COMENDO O MEU MINGAU!", BERROU O PAPAI URSO.

"ALGUÉM ANDOU COMENDO O MEU MINGAU!", EXCLAMOU A MAMÃE URSA.

"ALGUÉM ANDOU COMENDO O MEU MINGAU… E COMEU TUDINHO!", GRITOU O URSINHO.

Os ursos perceberam que alguém tinha estado em sua casa. Então olharam em volta para ver se mais alguma coisa estava fora do lugar. Quando olharam para as cadeiras, eles viram que as almofadas estavam fora do lugar nos assentos.

"Alguém andou se sentando em minha cadeira!", berrou o Papai Urso.

"Alguém andou se sentando em minha cadeira!", exclamou a Mamãe Ursa.

"Alguém andou se sentando em minha cadeira... e ela está toda quebrada!", gritou o Ursinho.

Os ursos procuraram adiante, caso fosse um ladrão que houvesse estado na casa deles. Eles subiram as escadas para o seu quarto, e viram que os lençóis nas camas estavam bagunçados.

"Alguém andou dormindo em minha cama!", berrou o Papai Urso.

"Alguém andou dormindo em minha cama!", exclamou a Mamãe Ursa.

"Alguém andou dormindo em minha cama... e ainda está aí!", gritou o Ursinho.

Cachinhos Dourados ficou muito assustada quando acordou e viu os três ursos em pé diante da cama, olhando para ela. Ela pulou da cama pelo outro lado e correu para a janela aberta. Ela saltou pela janela e foi parar na grama fofa e macia, abaixo. Então correu para casa tão rápido quanto pôde.

Os três ursos nunca mais viram Cachinhos Dourados, mas ela aprendeu sua lição sobre respeitar o que é dos outros. E os ursos cozinharam uma porção fresca de mingau e aproveitaram o seu delicioso café da manhã!

Tic Tac Tic Tac Toc

Tic Tac Tic Tac Toc

    O rato subiu no relógio,

Tic Tac Tic Tac Toc

O relógio tocou uma hora,

Tic Tac Tic Tac Toc

O rato desceu do relógio.

ESSE PEQUENO PORQUINHO

ESSE PEQUENO PORQUINHO FOI AO MERCADO,

ESSE PEQUENO PORQUINHO FICOU EM CASA,

ESSE PEQUENO PORQUINHO COMEU ROSBIFE,

ESSE PEQUENO PORQUINHO NÃO TEM NINGUÉM;

E ESSE PEQUENO PORQUINHO CHOROU

"OINK-OINK-OINK"

NO CAMINHO INTEIRO PARA CASA.

O velho McDonald tinha uma fazenda

O velho McDonald tinha uma fazenda,
I-I A I-I A OU!
E na fazenda ele tinha uma vaca,
I-I A I-I A OU!
Com um muu-muu aqui, e um muu-muu ali,
Aqui um muu-muu, um muu-muu ali,
Em toda parte um muu-muu!

O velho McDonald tinha uma fazenda,
I-I A I-I A OU!
E na fazenda ele tinha um porco,
I-I A I-I A OU!
Com um oink-oink aqui, e um oink-oink ali,
Aqui um oink-oink, um oink-oink ali,
Em toda parte um oink-oink!
O velho McDonald tinha uma fazenda,
I-I A I-I A OU!

O velho McDonald tinha uma fazenda,
I-I A I-I A OU!
E na fazenda ele tinha um cavalo,
I-I A I-I A OU!
Com um riiinch! Aqui, um riiinch! ali,
Aqui um riiinch!, um riiinch! ali,
Em toda parte um riiinch!
O velho McDonald tinha uma fazenda,
I-I A I-I A OU!

O velho McDonald tinha uma fazenda,
I-I A I-I A OU!
E na fazenda ele tinha umas ovelhas,
I-I A I-I A OU!
Com um baa-baa aqui, um baa-baa ali,
Aqui um baa-baa, um baa-baa ali,
Em toda parte um baa-baa!
O velho McDonald tinha uma fazenda,
I-I A I-I A OU!

O velho McDonald tinha uma fazenda,
I-I A I-I A OU!
E na fazenda ele tinha um pato,
I-I A I-I A OU!
Com um quack-quack aqui, um quack-quack ali,
Aqui um quack-quack, um quack-quack ali,
Em toda parte um quack-quack!
O velho McDonald tinha uma fazenda,
I-I A I-I A OU!

O velho McDonald tinha uma fazenda,
I-I A I-I A OU!
E na fazenda ele tinha um cachorro,
I-I A I-I A OU!
Com um au-au aqui, um au-au ali,
Aqui um au-au, um au-au ali,
Em toda parte um au-au!
O velho McDonald tinha uma fazenda,
I-I A I-I A OU!

HEY, DIDDLE, DIDDLE

HEY DIDDLE, DIDDLE, O GATO E O VIOLINO,

A VACA SALTOU SOBRE A LUA;

O CACHORRINHO RIU PARA VER TAL ESPORTE

E O PRATO FUGIU COM A COLHER.

MACACOS NA CAMA

Três macaquinhos
Pulando na cama;
Um caiu de cabeça no chão.
A mamãe ligou para o doutor
E ele disse:
"Nada de macacos pulando no colchão!"

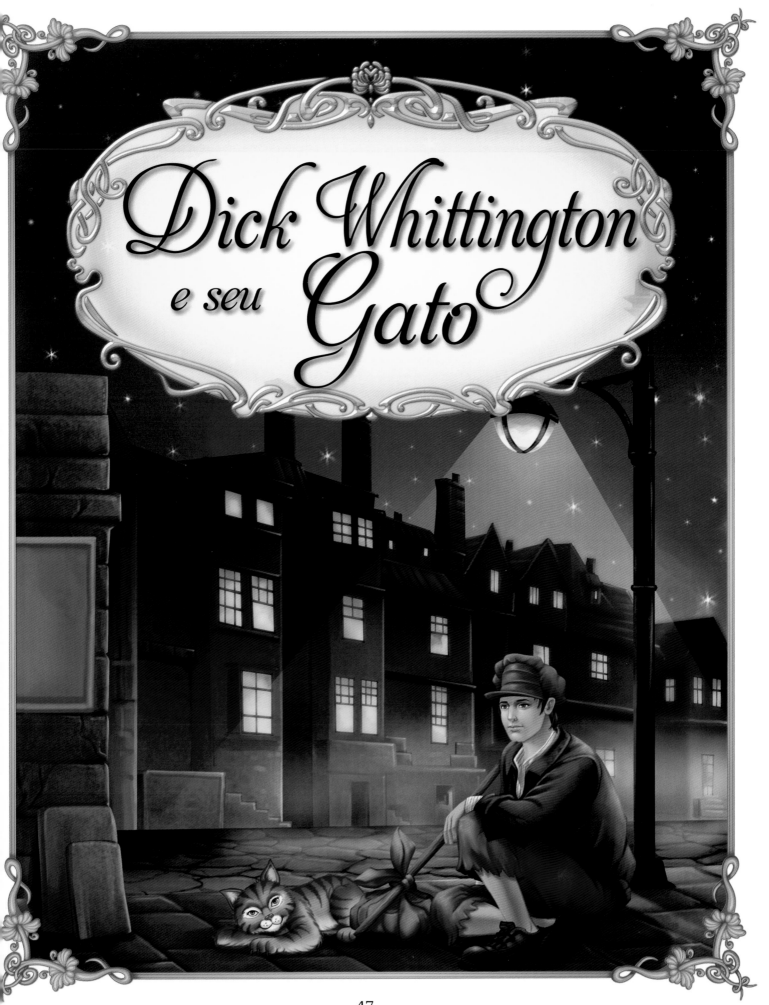

Dick Whittington
e seu Gato

Muitos anos atrás, havia um menino chamado Dick Whittington. Seus pais faleceram quando ele era muito pequeno, então ele ficou em situação financeira muito ruim. Naquele tempo, as pessoas do campo pensavam que os habitantes de Londres fossem damas e cavalheiros elegantes e tão ricos que as ruas eram pavimentadas de ouro. Dick se sentou e escutou todos aqueles contos estranhos. Então, sonhou em ir para Londres para ter roupas finas e muito para comer.

Certo dia, uma carroça com oito cavalos parou na vila. Dick implorou ao condutor que o levasse a Londres. O homem sentiu pena de Dick quando viu o quanto ele estava maltrapilho e pobre. Concordou em levar Dick, e então partiram, imediatamente.

Logo Dick já se encontrava na maravilhosa cidade sobre a qual tanto tinha ouvido falar. Mas como ele ficou desapontado! Como ela parecia suja! Ele andou pra cima e pra baixo, nas ruas, mas nenhuma era calçada de ouro. Em vez disso, havia sujeira por toda parte.

Dick caminhou até escurecer. Ele sentou-se em uma esquina e adormeceu. Quando amanheceu, ele estava com muito frio e faminto e, embora pedisse ajuda para todas as pessoas que encontrava, somente uma ou duas lhe deram alguns centavos para comprar um pouco de pão. Durante dias ele viveu nas ruas, tentando encontrar algum trabalho.

Um dia, ele se deitou no vão de entrada de um rico mercador chamado Fitzwarren. Ele foi descoberto pela cozinheira, que era uma mulher mal-humorada e grosseira. Ela gritou: "Caia fora, vagabundo preguiçoso, ou jogarei água suja e fervente de lavar louças sobre você!"

Naquele momento, o senhor Fitzwarren chegou em casa para jantar. Quando ele viu o que estava acontecendo, perguntou para Dick por que ele tinha ficado deitado ali. "Você tem idade suficiente para trabalhar, meu garoto", disse ele. "Receio que você seja apenas preguiçoso".

"Mas, senhor, não é esse o caso", disse Dick. Ele contou ao senhor Fitzwarren sobre suas tentativas de encontrar trabalho e descreveu o quanto estava faminto. O pobre Dick estava tão fraco que, quando tentou ficar em pé, caiu novamente. Quando o gentil mercador viu aquilo, ordenou que Dick fosse levado para dentro e recebesse um bom jantar. Ele disse que Dick poderia ficar e trabalhar na cozinha, ajudando a cozinheira.

DICK TERIA SIDO FELIZ, SE NÃO FOSSE PELA MAL-HUMORADA COZINHEIRA. ELA FAZIA DE TUDO PARA TORNAR A VIDA DIFÍCIL PARA DICK. ELA O XINGAVA. NADA QUE ELE FIZESSE ESTAVA BOM O BASTANTE. ELA ATÉ BATIA NELE COM O CABO DA VASSOURA OU A CONCHA, OU QUALQUER OUTRA COISA QUE TIVESSE À MÃO.

POR FIM, A SENHORITA ALICE, FILHA DO SENHOR FITZWARREN, OUVIU O QUANTO A COZINHEIRA ESTAVA MALTRATANDO DICK. ELA DISSE À COZINHEIRA QUE PERDERIA SEU EMPREGO SE NÃO O TRATASSE MAIS GENTILMENTE, POIS A FAMÍLIA GOSTAVA MUITO DE DICK.

DEPOIS DISSO, A COZINHEIRA PASSOU A TRATAR DICK MELHOR, MAS ELE TINHA OUTRO PROBLEMA. ELE DORMIA EM UM SÓTÃO QUE FICAVA INFESTADO DE RATOS E CAMUNDONGOS, TODAS AS NOITES. ÀS VEZES, ELE MAL FECHAVA OS OLHOS. POR SORTE, UM DIA ELE GANHOU UNS CENTAVOS POR LIMPAR OS SAPATOS DE UM CAVALHEIRO. ELE ENTÃO ENCONTROU UMA GAROTA QUE TINHA UM GATO, E O COMPROU COM OS CENTAVOS GANHOS. DICK LOGO VIU QUE NÃO TERIA MAIS PROBLEMAS COM RATOS E CAMUNDONGOS, E PASSOU A DORMIR PROFUNDAMENTE TODAS AS NOITES.

Certo dia, o senhor Fitzwarren estava com um navio pronto para partir. Era seu costume dar aos seus serviçais uma chance de fazer fortuna; então, ele lhes perguntava o que gostariam de enviar no navio para vender. Todos eles tinham algo para enviar, menos Dick, que não tinha nada.

A senhorita Alice disse: "Eu vou arranjar alguma coisa para ele", mas o pai dela disse que teria de ser algo do próprio Dick.

"Eu não tenho nada, além de meu gato, que comprei por alguns centavos,' disse Dick.

"Vá e apanhe o seu gato, então", disse o senhor Fitzwarren.

Dick apanhou o pobre gato. Havia lágrimas em seus olhos quando ele o deu para o capitão do navio. Eles riram da mercadoria esquisita dele, mas a senhorita Alice, que tinha pena dele, deu a Dick algum dinheiro para comprar outro gato.

Os atos de bondade da senhorita Alice deixaram a cozinheira com inveja, e ela tratava Dick pior do que nunca. Ela zombava dele por enviar seu gato ao mar. "Talvez o gato seja vendido por dinheiro suficiente para comprar um bastão para bater em você!", ela escarnecia.

No fim, Dick não podia mais suportar isso e fugiu. Ele caminhou por um tempo e então sentou-se para descansar. Enquanto ele estava sentado, os sinos da Igreja dos Arcos começaram a badalar. Conforme soavam, parecia que estavam cantando sempre de novo:

"Volte novamente, Whittington, Senhor Prefeito de Londres".

"Senhor Prefeito de Londres!", ele pensou. "Ora, eu suportaria quase qualquer coisa por isso. Eu vou voltar e ignorar a velha cozinheira detestável". E retornou.

Enquanto isso, o navio viajou para bem longe, até que chegou a um porto estrangeiro, onde as pessoas nunca antes haviam visto um navio inglês. O rei convidou o capitão ao palácio, para jantar, mas nem bem se sentaram e uma multidão de camundongos apinhou-se sobre as louças e começou a devorar a comida.

Pensando no gato, o capitão disse que tinha uma criatura que daria jeito nos camundongos. O rei estava ansioso por ver esse animal maravilhoso. "Traga-o para mim", disse ele, "pois a praga é insuportável. Se ele faz o que você diz, eu encherei o seu navio com tesouros".

Quando o capitão retornou com o gato, o chão ainda estava repleto de camundongos. Quando o gato os viu, saltou para o chão. Em pouquíssimo tempo, a maioria dos camundongos estava morta e o restante fugira de medo. O rei estava encantado.

O rei comprou toda a mercadoria do navio e deu ao capitão dez vezes mais pelo gato do que todo o restante junto.

O senhor Fitzwarren estava em seu escritório quando ouviu uma batida à porta. Era o capitão do navio, com um baú de joias. O capitão lhe contou sobre o gato e lhe mostrou as riquezas. O senhor Fitzwarren disse aos seus servos que trouxessem Dick, mas os servos hesitaram, dizendo que um tesouro assim grande era demais para Dick. O bom senhor Fitzwarren gritou: "Bobagem! O tesouro pertence a ele!"

Ele mandou buscar Dick, que estava preto de sujeira, de tanto esfregar panelas. A princípio, Dick pensou que eles estivessem zombando dele. Ele implorou-lhes para não pregarem peças em um pobre rapaz.

"Nós não estamos brincando", disse o mercador. "O capitão vendeu o seu gato e trouxe para você mais riquezas do que eu possuo. Que você possa apreciá-las por muito tempo".

Dick implorou ao seu senhor e à senhorita Alice para aceitarem uma parte, mas eles recusaram. Dick era bondoso demais para ficar com tudo para si, então ele deu um tanto para o capitão, para o ajudante e para o restante dos servos do senhor Fitzwarren, e até mesmo para sua velha inimiga, a cozinheira.

O senhor Fitzwarren o aconselhou a buscar algumas roupas de cavalheiro e lhe disse que ele era bem-vindo para morar em sua casa até que pudesse achar a sua própria casa. Quando o rosto de Dick estava lavado e ele vestia um traje vistoso, ficava tão belo e elegante quanto qualquer homem que visitasse a formosa Alice Fitzwarren. Logo ela se apaixonou por ele e ele por ela.

Foi marcada a data do casamento. Eles se casaram e mais tarde deram um banquete magnífico para todos. A história nos diz que o senhor Whittington e sua esposa viviam em grande esplendor e eram muito felizes. Ele se tornou Delegado, foi nomeado Senhor Prefeito de Londres quatro vezes, e recebeu o título de cavaleiro do rei.

Pop! Vai a Doninha!

Pra cima e pra baixo na estrada da cidade,

Dentro e fora da água,

Essa é a forma como o dinheiro vai.

Pop! Vai a doninha!

Meio quilo de arroz,

E meio quilo de melado,

Misture tudo que fica legal.

Pop! Vai a doninha!

Toda noite, quando saio,

O macaco está na mesa.

Pegue um pedaço de pau e pare com isso!

Pop! Vai a doninha!

Oh!, Aonde, Oh!, Aonde O Meu Cachorrinho Foi?

Oh!, aonde, oh!, aonde

Foi o meu cachorrinho?

Oh!, onde, oh!, onde ele poderá estar?

Com suas orelhas pequenas

E seu rabo longo,

Oh!, onde, oh!, onde ele estará?

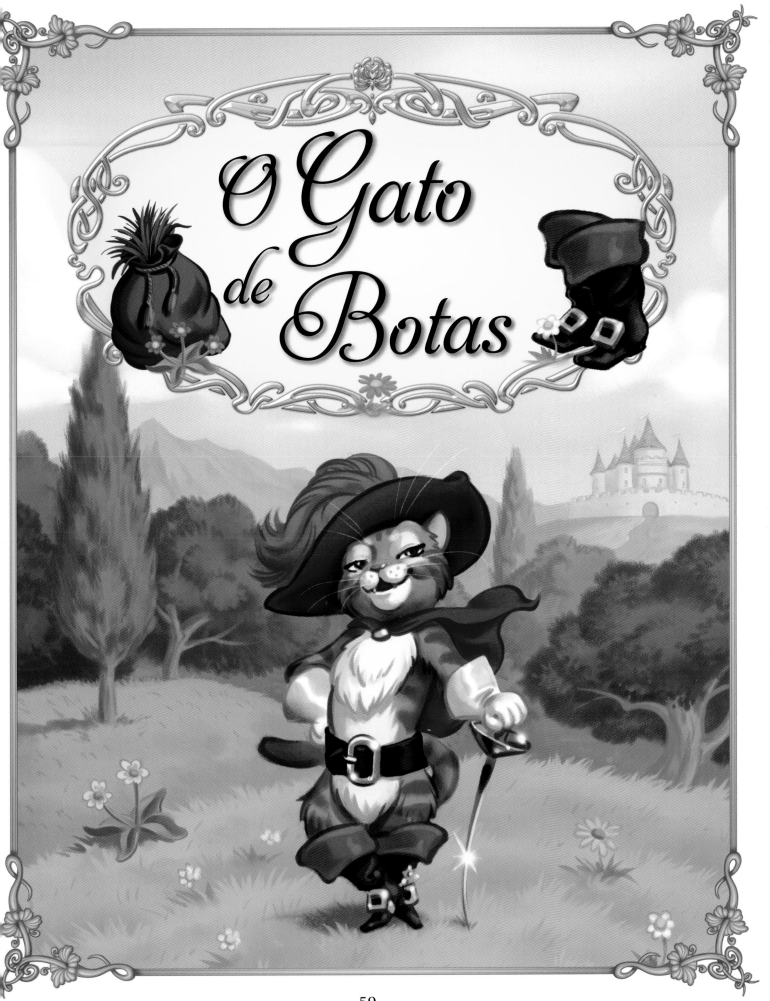

O Gato de Botas

ERA UMA VEZ… UM VELHO MOLEIRO, QUE VEIO A FALECER E NÃO DEIXOU NADA PARA SEUS TRÊS FILHOS, ALÉM DO SEU MOINHO, SEU BURRO E SEU GATO.

OS TRÊS FILHOS DECIDIRAM DIVIDIR AQUELA POBRE HERANÇA ENTRE ELES. O FILHO MAIS VELHO FICOU COM O MOINHO, O SEGUNDO FILHO FICOU COM O BURRO, E O FILHO MAIS MOÇO NÃO RECEBEU NADA, EXCETO O GATO.

Compreensivelmente, o filho mais moço estava bastante desapontado que sua parte fosse tão pobre. "Meus irmãos podem até ter um sustento bom o bastante se eles juntarem suas partes", disse o filho mais moço, "mas, com a minha parte, assim que eu tiver comido este gato e feito um chapéu de sua pele, morrerei de fome".

O gato ouviu o filho mais moço dizer tudo isso, mas não demonstrou estar abalado. Pelo contrário, virou-se para seu dono com um ar sério e distinto e disse: "Não se preocupe tanto, meu amo. Tudo o que você tem a fazer é me dar uma sacola e arranjar um par de botas feitas sob medida, para que eu possa correr facilmente pelos espinhos e arbustos, e logo verá que, sendo meu dono, você não ficou com uma parte tão pobre, afinal de contas".

Embora o filho mais moço não confiasse totalmente no que o gato havia dito, ele se lembrou que tinha visto o gato fazendo truques ardilosos para apanhar camundongos e ratos. O gato tinha se pendurado pelos pés para fazer os ratos pensarem que ele estivesse morto, e havia se escondido no saco de farelo de milho. Então o dono do gato não se desesperou completamente, por ele tê-lo ajudado nessa situação.

Assim que o jovem amo lhe deu suas novas botas e o saco, o gato ficou muito satisfeito. Ele achou que ficou muito vistoso e elegante em suas botas brilhantes. Usando seu novo calçado, o gato pendurou seu saco ao redor do pescoço e segurou as cordas com suas duas patas dianteiras. Saiu pelos campos e encontrou um pouco de capim macio e suculento para colocar no saco.

Depois, o gato foi até uma toca de coelhos da redondeza, onde ele sabia que vivia um montão de coelhinhos. Ele se esticou no chão como se estivesse morto, fazendo com que um pouco do capim do saco ficasse para fora. O gato ficou deitado ali, esperando que alguns coelhinhos, ainda não familiarizados com os truques do mundo, vissem o saco e ficassem tentados a comer o capim.

O gato mal havia se deitado no chão, quando um jovem e tolo coelhinho apareceu num salto. Ele cheirou o saco e então entrou nele, para comer o capim macio. Imediatamente, o gato fechou o saco puxando as cordas e apanhando o desavisado coelhinho.

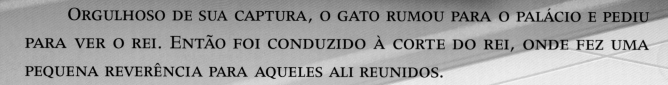

Orgulhoso de sua captura, o gato rumou para o palácio e pediu para ver o rei. Então foi conduzido à corte do rei, onde fez uma pequena reverência para aqueles ali reunidos.

"Eu vos trouxe, Majestade, um coelho da toca nas terras do meu nobre senhor e amo, o Marquês de Carabás!" (Este foi o título que o gato inventou para dar ao seu dono). "Ele ordenou que eu trouxesse isto de presente para Vossa Majestade", disse o gato.

O REI FICOU MUITO CONTENTE COM O PRESENTE, JÁ QUE GOSTAVA IMENSA-
MENTE DE COMER.

"DIGA AO SEU AMO", DISSE O REI, "QUE EU LHE AGRADEÇO E QUE FIQUEI
MUITO SATISFEITO COM SEU PRESENTE".

O GATO PARTIU FELIZ COM O RESULTADO DE SUA EMPREITADA.

Pouco depois, o gato se escondeu no meio de altos milharais em um campo, novamente com seu saco ao redor do pescoço. Ele ficou parado como uma estátua perto de uma espiga de milho que parecia o mais saboroso que pôde encontrar, e manteve seu saco aberto. Não demorou muito para que duas perdizes viessem e, em seus esforços para comer o milho, caíssem dentro do saco aberto. Imediatamente, o gato puxou as cordas, fechando o saco e apanhando os dois pássaros.

E ASSIM COMO FIZERA COM O COELHO, O GATO FOI AO PALÁCIO E FEZ DAS PERDIZES UM PRESENTE PARA O REI. DA MESMA MANEIRA, O REI RECEBEU AS PERDIZES COM GRANDE ALEGRIA. O REI ATÉ MESMO ORDENOU A SEUS SERVOS QUE RECOMPENSASSEM O GATO COM UMA MOEDA DE OURO.

NO DECORRER DOS DOIS OU TRÊS MESES SEGUINTES, O GATO CONTINUOU A LEVAR ALGUMAS DAS CAÇAS DE SEU AMO COMO PRESENTE PARA O REI. O REI FICAVA SEMPRE MUITO SATISFEITO AO RECEBER ESSAS OFERENDAS E RECOMPENSAVA O GATO COM UMA MOEDA DE OURO.

Certo dia, o gato descobriu que o rei sairia para um passeio pela margem do rio para tomar ar fresco e apreciar a claridade do sol. O gato também descobriu que o rei estava levando com ele, no passeio, sua filha, a mais bela princesa do reino.

O gato foi até seu dono e disse: "Se você seguir meu conselho, seu destino estará garantido. Você não precisará fazer nada, a não ser ir até o rio e tomar banho no local que eu vou lhe mostrar. É só deixar o resto comigo".

O DONO DO GATO FICOU CONFUSO, SEM SABER O PORQUÊ DE O GATO ESTAR LHE PEDINDO PARA FAZER AQUILO, MAS ACATOU SUA SUGESTÃO. ENQUANTO ELE TOMAVA BANHO, A CARRUAGEM DO REI PASSOU.

IMEDIATAMENTE, O GATO GRITOU NO LIMITE DE SUA VOZ: "SOCORRO! SOCORRO! O MEU DONO, O MARQUÊS DE CARABÁS, ESTÁ SE AFOGANDO! SOCORRO! SOCORRO!"

OUVINDO O BARULHO, O REI COLOCOU A CABEÇA PARA FORA DA JANELA DA CARRUAGEM E, VENDO O GATO QUE TINHA LHE TRAZIDO TANTAS VEZES PRESENTES DE CAÇA, ORDENOU AOS SEUS GUARDAS QUE CORRESSEM IMEDIATAMENTE E SOCORRESSEM SUA ALTEZA, O MARQUÊS DE CARABÁS.

Enquanto os guardas do rei estavam retirando o marquês do rio, o gato escondeu as roupas de seu dono debaixo de uma grande e pesada rocha. Depois, o gato subiu na carruagem e contou ao rei que, enquanto seu amo estava tomando banho, alguns ladrões tinham vindo e roubado suas roupas, mesmo tendo o gato gritado "Ladrões! Ladrões!" Imediatamente, o rei ordenou que alguns guardas corressem para apanhar uma de suas melhores vestes reais para o Marquês de Carabás vestir.

O REI FOI EXCEPCIONALMENTE EDUCADO COM O MARQUÊS, ASSIM QUE ELE VESTIU O TRAJE ELEGANTE, POIS AS ROUPAS EMBELEZAVAM SUA BOA APARÊNCIA (ELE ERA MUITO BONITO). O REI PERCEBEU QUE SUA ADORÁVEL FILHA HAVIA FICADO MUITO IMPRESSIONADA COM O MARQUÊS. ESTE SÓ TEVE DE TROCAR DOIS OU TRÊS OLHARES GENTIS E RESPEITOSOS COM ELA, ANTES DE SE APAIXONAREM. ENTÃO O REI CONVIDOU O MARQUÊS PARA SE JUNTAR A ELES EM SEU PASSEIO.

O GATO FICOU FELICÍSSIMO AO VER SEU PLANO DAR CERTO. ELE MARCHOU NA FRENTE DA CARRUAGEM, E ENCONTROU ALGUMAS PESSOAS CEIFANDO EM UMA PLANTAÇÃO QUE PERTENCIA A UM OGRO CRUEL.

"BONS CEIFEIROS", DISSE O GATO, "O OGRO A QUEM PERTENCE ESTA PLANTAÇÃO ME PEDIU PARA LHES DIZER QUE, SE VOCÊS NÃO CONTAREM AO REI QUE A PLANTAÇÃO QUE VOCÊS ESTÃO CEIFANDO PERTENCE AO MARQUÊS DE CARABÁS, ELE CORTARÁ VOCÊS EM PEDACINHOS E OS COZINHARÁ EM SEU CALDEIRÃO!"

OS CEIFEIROS TINHAM MUITO MEDO DO OGRO. ENTÃO, QUANDO O REI PASSOU E LHES PERGUNTOU DE QUEM ERA A PLANTAÇÃO, TODOS ELES RESPONDERAM IMEDIATAMENTE: "PERTENCE AO MARQUÊS DE CARABÁS, MAJESTADE".

"VOCÊ TEM UMA BELA PLANTAÇÃO ALI", DISSE O REI AO MARQUÊS.

"SIM, ALTEZA", RESPONDEU O MARQUÊS, PENSANDO RAPIDAMENTE. "ELA ME DÁ UMA BOA COLHEITA TODOS OS ANOS".

O gato continuou à frente, até encontrar alguns segadores, que estavam colhendo milho em uma outra plantação que pertencia ao ogro.

"Bons segadores", disse o gato, "o ogro que é dono desta plantação me pediu para lhes dizer que, se vocês não contarem ao rei que este milharal pertence ao Marquês de Carabás, ele cortará vocês em pedacinhos e os cozinhará em seu caldeirão!"

E quando o rei passou pelo campo em sua carruagem e lhes perguntou a quem pertencia a plantação, todos eles responderam: "O Marquês de Carabás é dono deste milharal, Majestade".

O gato foi à frente novamente, e dizia a todos que encontrava que o ogro tinha dito para dizer ao Rei que a terra pertencia ao Marquês de Carabás. Todos tinham tanto medo do ogro, que assim o fizeram.

FINALMENTE, O GATO CHEGOU À CASA DO OGRO, QUE ERA UM ENORME E IMPONENTE CASTELO. O OGRO ERA O MAIS RICO DE QUE SE TINHA NOTÍCIA. O GATO, QUE TINHA DESCOBERTO O TALENTO MÁGICO DO OGRO, PEDIU PARA VÊ-LO, DIZENDO QUE ELE NÃO PODERIA PASSAR SEM CUMPRIMENTÁ-LO. APÓS ALGUNS RESMUNGOS, O OGRO PERMITIU QUE ELE ENTRASSE E FEZ COM QUE SE SENTASSE.

"Disseram-me que você tem um talento incrível", disse o gato ao ogro. "Disseram-me que você pode se transformar em qualquer criatura que quiser, como, por exemplo, um leão. Com certeza isso não é verdade, é?"

"É verdade! Se você não acredita em mim, deixe-me provar a você", disse o ogro orgulhoso, transformando-se em um leão feroz e rugidor.

O gato parecia tão aterrorizado com a visão do leão, que deu um salto e tentou escalar um armarinho, o que ficou um tanto esquisito por causa de suas botas. Quando ele viu que o ogro tinha finalmente voltado à sua forma normal, desceu lentamente.

"Isso é impressionante!", disse o gato. "Mas também me disseram que você consegue ficar na forma do menor animal, como um ratinho. Embora, certamente, isso seja impossível".

"Impossível?", rosnou o ogro. "Observe e verá!"

E o ogro se transformou em um minúsculo rato, e começou a correr pela sala. O gato imediatamente pulou sobre ele e o comeu!

Naquele momento, a carruagem do rei chegou ao elegante castelo. O rei, querendo ver quem vivia ali, ordenou ao cocheiro que entrasse. O gato, ouvindo o cocheiro se aproximar da ponte levadiça, saiu ao encontro deles e disse ao rei: "Bem-vindo ao castelo do meu Senhor, o Marquês de Carabás!"

"O quê! também este castelo pertence ao senhor, Marquês de Carabás?", exclamou o rei. "Vamos ver lá dentro, se o senhor nos permite".

O marquês ajudou a princesa a descer da carruagem e eles seguiram o rei para dentro do castelo. Havia um banquete magnífico preparado no Grande Salão, pelo ogro. O rei ficou perfeitamente encantado com as excelentes qualidades do marquês, assim como a princesa, que tinha se apaixonado completamente por ele.

O rei pôde perceber que sua filha estava apaixonada, e ficou tão impressionado ao ver as vastas propriedades e o magnífico castelo que pertenciam ao marquês, que insistiu para que este e a princesa se casassem naquele mesmo dia.

ELES VIVERAM FELIZES PARA SEMPRE, E O GATO SE TORNOU UM GRANDE LORDE. ELE NUNCA TEVE DE PERSEGUIR RATOS NOVAMENTE, EMBORA ÀS VEZES O FIZESSE POR DIVERSÃO!

Uma velha e sábia coruja

Uma velha e sábia coruja morava em um carvalho:
Quanto mais ela via, menos ela falava;
Quanto menos ela falava, mais ela ouvia.
Por que não somos todos como aquela velha e sábia coruja?

O Senhor Coruja e a Gatinha

O Senhor Coruja e a Gatinha foram para o mar,

Para em um belo barco verde navegar.

Com um pouco de mel, e bastante dinheiro

Foram passear.

O Senhor Coruja olhou as estrelas acima,

E começou a cantar:

"Oh!, amada gatinha, oh!, gatinha, meu amor!

Que linda gatinha você é,

Você é, você é!

Que linda gatinha você é!"

MEL

A Gatinha disse para o Senhor Coruja:
"Ave elegante,

que charmoso você é, meu amante!

"Oh!, vamos nos casar;

Já não aguentamos esperar...

Mas o que usaremos como anel?"

Eles navegaram por um ano e um dia,

Até a terra onde havia mel.

E então viram um amigo porco,

E em seu nariz, em seu nariz...

Um anel pendurado em seu nariz!

"QUERIDO PORCO, VOCÊ NOS DARIA SEU ANEL? E A FESTA
NOS FARIA?"

"SIM, EU DARIA", DISSE O PORCO AMIGO.

ENTÃO, TENDO O ANEL, CASARAM-SE NO OUTRO DIA,

PERTO DOS PERUS QUE VIVIAM NA ILHA.

ELES JANTARAM PICADINHO E FATIAS DE MARMELO,

E NÃO DEIXARAM NENHUM FARELO.

DE MÃOS DADAS, NA AREIA DA PRAIA

DANÇARAM SOB A LUZ DA LUA

DA LUA, DA LUA,

DANÇARAM SOB A LUZ DA LUA.

HICKETY, PICKETY

HICKETY, PICKETY,
minha galinha preta,
Ela bota ovos para o senhor.
O senhor vem todos os dias
Para ver quantos ovos minha galinha
preta botou.
Às vezes nove, às vezes dez,
Hickety, Pickety, minha
galinha preta.

A Pequena Galinha Vermelha

A PEQUENA GALINHA VERMELHA VIVIA EM UM CURRAL JUNTO AO CELEIRO, COM SEUS PINTINHOS. ELA PASSAVA SEU TEMPO CAMINHANDO PRA LÁ E PRA CÁ COM SEU JEITO "COCOCÓ", CISCANDO O CHÃO E PROCURANDO MINHOCAS PARA ALIMENTAR SUA FAMÍLIA. ELA ADORAVA MINHOCAS GORDAS E SUCULENTAS, E SEMPRE QUE ACHAVA UMA, GRITAVA: "COCORICÓ-COCORICÓ!", PARA SEUS PINTINHOS, QUE VINHAM CORRENDO. ELA DIVIDIA SEU ACHADO E ENTÃO RETORNAVA AO SEU JEITO "COCOCÓ" DE CISCAR, PROCURANDO MAIS.

UM GATO GERALMENTE TIRAVA UMA SONECA AO SOL, PREGUIÇOSAMENTE, PERTO DA PORTA DO CELEIRO, NEM SE IMPORTANDO EM PERSEGUIR O RATO, QUE CORRIA ALI E ACOLÁ SEMPRE QUE QUERIA. QUANTO AO PORCO QUE VIVIA NO CHIQUEIRO, ELE NÃO SE IMPORTAVA COM NADA, DESDE QUE PUDESSE COMER E ENGORDAR.

Certo dia de verão, enquanto estava ciscando lá fora, a pequena galinha vermelha encontrou uma semente acomodada na poeira. Ela descobriu que era uma semente de trigo. Se fosse plantada, produziria sementes que poderiam se tornar farinha, que se transformaria em pão.

A pequena galinha vermelha pensou no gato, que dormia o dia inteiro, e no rato, que fazia o que queria, e no porco, cuja única preocupação era sua comida. Ele os chamou em voz alta: "Quem vai plantar esta semente?"

Mas o gato miou: "Eu não", e o rato chiou: "Eu não", e o porco grunhiu: "Eu não".

"Muito bem, então", disse a pequena galinha vermelha, "Eu vou".

E assim o fez.

Então ela foi atrás de seus afazeres, ciscando em busca de minhocas com seu jeitinho "cococó" e alimentando seus pintinhos, enquanto o gato engordava, o rato engordava e o porco engordava. Enquanto isso, o trigo crescia.

UM DIA, A PEQUENA GALINHA VERMELHA DECIDIU QUE O TRIGO ESTAVA CRESCIDO E MADURO, PRONTO PARA SER COLHIDO. ELA CHAMOU EM VOZ ALTA: "QUEM VAI COLHER O TRIGO?"

MAS O GATO MIOU: "EU NÃO", E O RATO CHIOU: "EU NÃO", E O PORCO GRUNHIU: "EU NÃO".

"MUITO BEM, ENTÃO", DISSE A PEQUENA GALINHA VERMELHA, "EU VOU".

E ASSIM O FEZ.

ELA FOI E PEGOU A FOICE DO FAZENDEIRO ENTRE AS FERRAMENTAS NO CELEIRO E COLHEU O TRIGO COM SEU JEITINHO "COCOCÓ". A BELA COLHEITA DE TRIGO ESTAVA NO CHÃO, MAS SEUS PINTINHOS AMARELOS SE REUNIRAM AO REDOR DELA 'PIU–PIU–PIU–PIANDO' POR ATENÇÃO, E GRITANDO QUE SUA MÃE OS ESTAVA NEGLIGENCIANDO.

Pobre pequena galinha vermelha! Ela não sabia o que fazer. Ela estava dividida entre sua obrigação com seus pintinhos e seu trabalho com o trigo. Então, esperando por ajuda, ela chamou: "Quem vai debulhar o trigo?"

Mas o gato miou: "Eu não", e o rato chiou: "Eu não", e o porco grunhiu: "Eu não".

"Muito bem, então", disse a pequena galinha vermelha, "Eu vou".

E assim o fez.

É claro, primeiro ela foi à caça de minhocas para seus filhotes e se certificou de que eles estivessem todos alimentados e felizes. Quando todos eles estavam tirando sua soneca da tarde, ela saiu e debulhou o trigo.

Então ela chamou: "Quem vai levar o trigo até o moinho para moê-lo e transformá-lo em farinha?"

Mas o gato miou: "Eu não", e o rato chiou: "Eu não", e o porco grunhiu: "Eu não".

"Muito bem, então", disse a pequena galinha vermelha, "Eu vou".

E assim o fez.

A pequena galinha vermelha encheu um saco com trigo e foi rumo ao moinho, bem distante. O moleiro moeu o trigo dela, transformando-o em uma bela farinha e ela se arrastou de volta novamente, com seu jeitinho "cococó". Ela até deu um jeito, apesar da carga, de apanhar uma ou duas suculentas minhocas para seus pintinhos. Ela estava tão cansada quando retornou, que foi dormir cedo.

93

A pequena galinha vermelha adoraria ter dormido até tarde, mas seus pintinhos a acordaram 'piu-piu-piu-piando' pelo seu café da manhã. Ao acordar, ela se lembrou que já era o dia de transformar a farinha em pão. Depois de seus filhotes serem alimentados, ela foi à procura do gato, do rato e do porco. Ela chamou: "Quem vai fazer o pão?"

Mas o gato miou: "Eu não", e o rato chiou: "Eu não", e o porco grunhiu: "Eu não".

"Muito bem, então", disse a pequena galinha vermelha, "Eu faço".

E assim o fez.

Ela vestiu um avental fresquinho e um chapéu branco de cozinheiro e seguiu a receita. Ela fez e sovou a massa, formou pãezinhos e os colocou no forno para assar.

Por fim, o pão estava pronto. Um aroma delicioso flutuava pelo celeiro. O gato, o rato e o porco farejaram com prazer o ar. A pequena galinha vermelha foi até o forno em seu jeitinho "cococó". Ela estava muito empolgada com o maravilhoso pão, o que não é de surpreender, pois ela tinha feito todo o trabalho, não é?

A PEQUENA GALINHA VERMELHA ABRIU O FORNO E DESCOBRIU QUE OS ADORÁVEIS PÃEZINHOS MARRONS ESTAVAM ASSADOS PERFEITAMENTE. DAÍ, COMO DE COSTUME, ELA CHAMOU: "QUEM VAI COMER O PÃO?"

E O GATO MIOU: "EU VOU", E O RATO CHIOU: "EU VOU", E O PORCO GRUNHIU: "EU VOU".

MAS A PEQUENA GALINHA VERMELHA DISSE: "NÃO, VOCÊS NÃO VÃO COMER. EU VOU".

E ASSIM O FEZ!

EU TINHA UMA PEQUENA GALINHA

EU TINHA UMA PEQUENA GALINHA
ELA ERA LINDA,
ELA LAVAVA A LOUÇA,
E MANTINHA A CASA LIMPA.
ELA IA ATÉ O MOINHO
PARA BUSCAR FARINHA,
ELA A TRAZIA PARA CASA
E ERA AGORINHA.
ELA FAZIA O PÃO PRA MIM,
ELA PEGAVA O MEU SUCO
E DEIXAVA TUDO PRONTO;
SENTAVA-SE À LAREIRA,
E CONTAVA BELOS CONTOS.

FARINHA

A Pequena Pastorinha

A Pequena Pastorinha perdeu suas ovelhas,

E não sabe onde encontrá-las.

Deixe-as sozinhas e elas voltarão para casa,

Trazendo suas lãs com elas.

A Pequena Pastorinha pouco dormiu,

Sonhando que as ovelhinhas estavam berrando;

Mas quando acordou, percebeu o engano,

Pois todas ainda estavam por aí andando.

E então ela pegou o seu cajado,

Determinada a encontrá-las;

Ela as encontrou de verdade, mas com o coração partido,

Pois suas caudas, tão belas... Tinham-se ido!

E nesse dia, a Pastorinha ficou perdida,

Em um grande pasto a procurar,

As lãs por todos os lados;

Todas penduradas em uma árvore estavam para secar.

Ela deu um suspiro, enxugou os olhos,

E pelo morro subiu caminhando.

E tentou o que podia...

Como pastora, deveria colocar a lã novamente

em cada ovelhinha.

Gansinho, Gansinho

POR ONDE ANDO EU?

    VOU PRA CIMA E VOU PRA BAIXO,

E AO QUARTO DE MINHA MULHER.

LÁ ENCONTREI UM VELHINHO,

QUE AS ORAÇÕES NÃO QUERIA FAZER.

ENTÃO, PEGUEI-O

PELA PERNA ESQUERDA,

E ESCADA ABAIXO O JOGUEI.

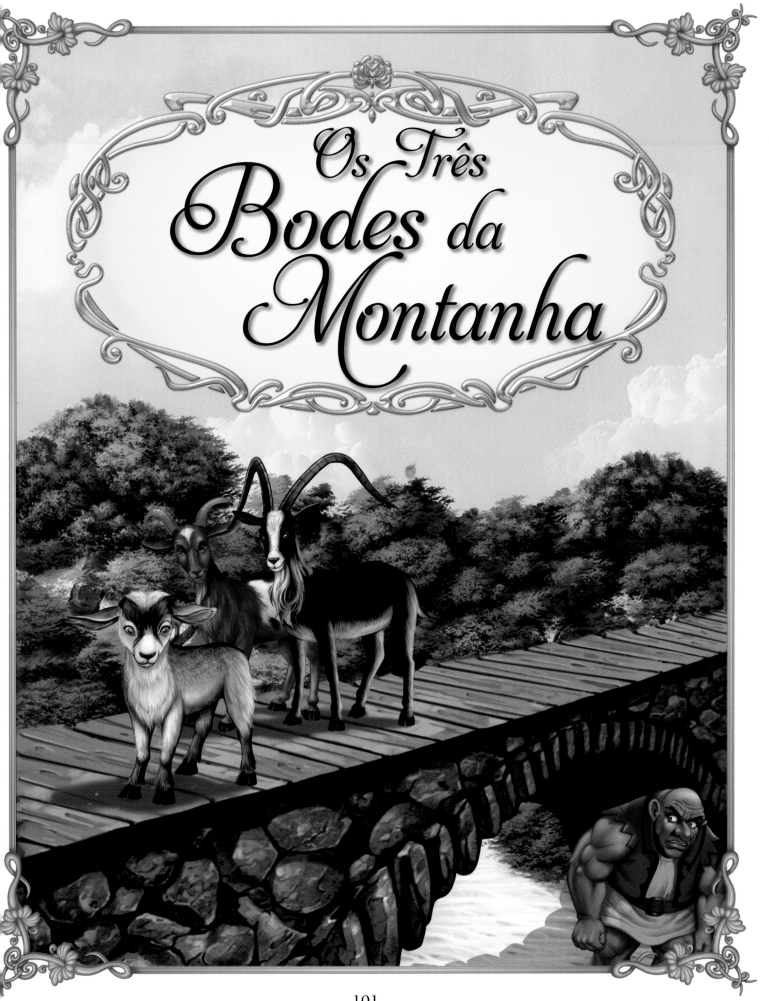

Os Três Bodes da Montanha

Era uma vez... três bodes da montanha, que viviam em uma ladeira. O inverno tinha passado e os magros e famintos bodes queriam ir para a campina verdejante, do outro lado do vale, para poder comer o capim suculento e saboroso e engordar durante o verão. Lá embaixo, no vale, havia um riacho com cascatas que eles tinham de atravessar. Sobre o riacho havia uma ponte, mas debaixo da ponte vivia um grande e feio Gigante, com olhos como se fossem grandes e redondos pires e um nariz comprido como um bastão.

O primeiro de todos a tentar passar foi o mais jovem e menor bode da montanha.

"Trip, trip, trip, trip!", fazia a ponte de madeira, enquanto os cascos do bode trotavam sobre ela.

"Quem está trotando sobre a minha ponte?", rugiu o Gigante debaixo dela.

"Sou eu, o menorzinho de todos os bodes da montanha", disse o bode, em uma voz bem baixinha. "Estou subindo a ladeira para comer capim suculento e saboroso para que eu possa engordar!"

"NÃO, VOCÊ NÃO VAI!", RUGIU O GIGANTE. "ESTOU VINDO PARA DEVORAR VOCÊ!"

"PUXA, POR FAVOR, NÃO ME COMA! SOU PEQUENO DEMAIS, SOU MESMO", DISSE O BODE MAIS JOVEM DA MONTANHA. "SE VOCÊ ESPERAR UM POUQUINHO MAIS, O SEGUNDO BODE DA MONTANHA ESTÁ VINDO. ELE É MUITO MAIOR DO QUE EU".

"ELE É MAIOR?", PERGUNTOU O GIGANTE FAMINTO. "BEM, ENTÃO VÁ LOGO EMBORA!"

E O BODE MAIS JOVEM DA MONTANHA PASSOU TROTANDO SUAVEMENTE PELA PONTE ATÉ A CAMPINA.

Depois de uns instantes, o segundo bode da montanha apareceu para atravessar a ponte. Ele era um bode de tamanho médio.

"Trap, trap, trap, trap!", fazia a ponte de madeira, enquanto o segundo bode da montanha a atravessava.

"Quem está trotando sobre a minha ponte?", rugiu o Gigante debaixo dela.

"Sou eu", disse o segundo bode da montanha, em uma voz de tom médio. "Estou subindo a ladeira para comer capim suculento e saboroso para que eu possa engordar!"

"Não, você não vai!", rugiu o Gigante. "Estou vindo para devorar você!"

"Puxa, por favor, não me coma! Sou apenas de tamanho médio, sou mesmo!", disse o segundo bode da montanha. "Se você esperar um pouquinho mais, o terceiro bode da montanha está vindo. Ele é muito maior do que eu".

"Ele é maior?", perguntou o Gigante faminto. "Bem, então vá logo embora!"

E o segundo bode da montanha passou trotando suavemente pela ponte até a campina.

Então o terceiro bode da montanha apareceu para atravessar a ponte. Ele era um bode da montanha bem grande.

"Trop, trop, trop, trop!", fazia a ponte de madeira, enquanto o terceiro bode da montanha atravessava.

"Quem está trotando sobre a minha ponte?", rugiu o Gigante debaixo dela.

"Sou eu, o terceiro bode da montanha", rugiu o bode com uma voz bem forte. "Estou subindo a ladeira para comer capim suculento e saboroso para que eu possa engordar!"

"Não, você não vai!", rugiu o Gigante, pulando para cima da ponte. "Estou indo para devorar você!"

"Bem, vá em frente, então!", disse o terceiro bode da montanha. Então, ele abaixou a cabeça e apontou seus chifres. E partiu para o ataque contra o Gigante!

O Gigante balançou no ar e caiu em cima da ponte. O grande bode da montanha pulou sobre o Gigante e o pisoteou com seus grandes cascos. Depois, ele deu coices com suas patas traseiras e lançou o Gigante corredeiras abaixo. O Gigante flutuou para longe, cheio de pancadas. E aquela foi a última vez que alguém chegou a vê-lo...

OS TRÊS BODES DA MONTANHA SUBIRAM A LADEIRA ATÉ A CAMPINA VERDE-JANTE. LÁ, ELES COMERAM UM BOCADO DE CAPIM SUCULENTO E SABOROSO ATÉ ESTAREM TÃO GORDOS QUE MAL PODIAM CAMINHAR PARA CASA, NOVAMENTE. E DEPOIS DAQUELE DIA, ELES IAM À CAMPINA DO OUTRO LADO DO VALE SEMPRE QUE SENTIAM VONTADE, TRANQUILAMENTE.

HIGGLETY, PIGGLETY, POP!

O CÃO COMEU O ESFREGÃO;
  O PORCO ESTÁ COM PRESSA,
O GATO NUMA AFOBAÇÃO,
HIGGLETY, PIGGLETY, POP!

A Velha Mãe Hubbard

A velha mãe Hubbard foi
até o armário
Para dar ao pobre cão um osso.
Mas quando ela chegou lá,
O armário estava vazio...
Então o pobre cão ficou sem nada.

Ela foi até a padaria
Para lhe comprar um pouco
de pão.
Mas quando voltou,
O pobre cão estava morto.

Ela foi até o agente funerário
Para lhe comprar um caixão.
Mas quando voltou,
O pobre cão estava rindo.

ELA FOI ATÉ O PEIXEIRO

PARA LHE COMPRAR UM POUCO DE PEIXE.

MAS QUANDO VOLTOU,

ELE ESTAVA LAVANDO O PRATO.

ELA FOI ATÉ A TAVERNA

PARA COMPRAR VINHO BRANCO E TINTO.

MAS QUANDO VOLTOU,

ELE ESTAVA DE PONTA-CABEÇA.

ELA FOI ATÉ O CHAPELEIRO

PARA LHE COMPRAR UM CHAPÉU.

MAS QUANDO VOLTOU,

ELE ESTAVA ALIMENTANDO O GATO.

Ela foi ao barbeiro

Para lhe comprar uma peruca.

Mas quando voltou,

Ele estava dançando um ritmo.

Ela foi à quitanda

Para lhe comprar umas frutas.

Mas quando voltou,

Ele estava tocando flauta.

Ela foi ao alfaiate

Para lhe comprar um casaco.

Mas quando voltou,

Ele estava montando em uma cabra.

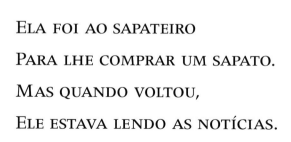

Ela foi ao sapateiro

Para lhe comprar um sapato.

Mas quando voltou,

Ele estava lendo as notícias.

ELA FOI À COSTUREIRA

PARA LHE COMPRAR UMA ROUPA.

MAS QUANDO VOLTOU,

O CÃO ESTAVA GIRANDO.

ELA FOI ATÉ A MALHARIA

PARA LHE COMPRAR UMAS MEIAS.

MAS QUANDO VOLTOU,

ELE ESTAVA VESTIDO COM SUAS ROUPAS.

A DAMA FEZ UMA REVERÊNCIA,

O CÃO FEZ UMA SAUDAÇÃO.

A DAMA DISSE: "SUA EMPREGADA!"

O CÃO DISSE: "AU-AU!"

BAA, BAA, OVELHA NEGRA

Baa, Baa, Ovelha Negra
Você tem lã?
Sim, senhor, Sim, senhor,
Três sacos cheios:
Um para o mestre,
Um para a dama,
E um para o menino
Que mora aí embaixo, na rua.

116

Os Músicos de Bremen

Era uma vez... um fazendeiro que tinha um velho burro. O burro tinha trabalhado fielmente para seu dono por muitos anos. Ele tinha carregado enormes sacos de trigo até o moinho, na colina, e levado sacolas de farinha de volta, novamente. Ele tinha puxado pesados carrinhos carregados por grandes distâncias, e transportado a esposa do fazendeiro e seus filhos entre a casa e a cidade.

Quando foi envelhecendo, a força do pobre burro começou a falhar, e ele já não era mais capaz de fazer todas as tarefas que o fazendeiro lhe determinava. A cada dia que passava, o burro se tornava mais inadequado para o trabalho pesado para o qual o fazendeiro precisava dele.

Por fim, o fazendeiro decidiu que era hora de se livrar do pobre e velho burro, já que ele não podia se dar ao luxo de manter um animal que não conseguia realizar seus serviços. Entretanto, o velho burro ouviu por acaso o fazendeiro falando com sua esposa se ele deveria mandar o burro embora ou dar um fim nele. O burro, supondo que seu futuro na fazenda seria horrível, decidiu que seria melhor fugir.

Depois de pensar um pouco, o burro resolveu que ele pegaria a estrada para a cidade de Bremen, famosa por sua liberdade, onde ele poderia ganhar a vida como músico da cidade. Então, partiu estrada afora, em direção àquela grande cidade.

Após ter caminhado por um certo tempo, o burro deparou com um cachorro deitado perto da estrada. O cachorro estava ofegante, como se estivesse cansado após ter corrido uma grande distância.

"Olá, amigo!", disse o burro. "Por que você está ofegante?"

"Oras!", respondeu o cachorro. "Agora que sou velho e estou ficando cada vez mais fraco, meu dono decidiu que eu não sou mais útil quando ele está caçando. Ele decidiu se livrar de mim, mas eu escapei e fugi. Já percorri uma grande distância, mas não tenho ideia de como vou ganhar meu sustento".

"Tive uma ideia", disse o burro. "Meu dono também ia se livrar de mim, porque eu estava ficando velho demais para trabalhar para ele. Eu também fugi e estou a caminho de Bremen, onde me tornarei um músico da cidade. Por que você não se junta a mim e vamos nos sustentar fazendo música juntos?"

O cachorro concordou alegremente, e então os dois animais continuaram estrada afora juntos, conversando sobre seus planos para se tornarem músicos.

Depois de o burro e o cachorro terem ido mais um pouco adiante, eles avistaram uma gata sentada perto da estrada, que parecia tão triste quanto um gato poderia de algum modo parecer.

"Olá, querida senhorita!", disse o burro. "Por que você está tão tristonha?"

"Vocês também se sentiriam tristes se corressem perigo de ser jogados no poço", respondeu a gata. "Agora que estou ficando velha, meus dentes e garras estão perdendo o corte. Eu preferiria ficar deitada perto do fogo da cozinha, ronronar e dormir, em vez de correr pela casa, perseguindo ratos o dia inteiro. Minha dona ia se livrar de mim, porque eu não era mais útil para ela; então fugi. Mas agora eu não sei o que vai ser de mim".

"Por que você não vem conosco para Bremen?", sugeriu o burro. "O cachorro e eu também fugimos de nossos donos, porque estamos muito velhos, e então vamos tentar ganhar a vida nos tornando músicos da cidade. Você tem tudo pra ser uma cantora noturna excelente".

A gata ficou muito satisfeita com aquela ideia, e então os três animais continuaram estrada afora, rumo a Bremen.

O burro, o cachorro e o gato tinham caminhado mais um pouco, quando viram um galo empoleirado no portão de uma fazenda. Ele cantava em voz alta com toda a sua força, fazendo um enorme barulho.

"Bravo!", gritou o burro. "Que apresentação maravilhosa! Mas me diga, por que você está fazendo todo esse rebuliço?"

"Tenho sido um bom galo e previ bom tempo para o dia de lavar roupas", disse o galo, "mas em vez de ganhar algum agradecimento, eu ouvi que minha dona receberá visita para o almoço de domingo. Ela disse ao cozinheiro para decepar minha cabeça amanhã e me cozinhar em uma sopa para eles tomarem! Então, aqui estou cacarejando com toda a minha força, enquanto ainda posso".

"Meu Deus!", exclamou o burro. "Seria melhor você vir conosco, caro galo. Qualquer coisa seria melhor do que ficar e ter sua cabeça degolada! Quem sabe, se nós todos pudermos cantar afinadamente, a sua poderosa voz será um acréscimo muito agradável à nossa apresentação!

O galo ficou muito feliz em aceitar esse convite, e então se juntou a eles em sua viagem para Bremen. Os quatro animais prosseguiram estrada afora juntos, bem alegres.

Contudo, conforme eles prosseguiam, os quatro amigos perceberam que não conseguiriam chegar a Bremen em um dia. Quando a noite caía, os viajantes chegaram a uma floresta. Eles conversaram entre si e decidiram que passariam a noite na floresta, e então prosseguiriam para Bremen na manhã seguinte.

O burro e o cachorro se deitaram para dormir no chão, debaixo de uma grande árvore. A gata subiu nos galhos da árvore para descansar. O galo voou até o alto da árvore, pois lá era o lugar mais seguro para ele repousar à noite.

Como era seu costume, o galo olhou ao redor em todas as direções para se garantir de que tudo estava bem, antes de se acomodar para dormir. Enquanto estava olhando a floresta, o galo avistou uma pequenina luz por entre as árvores, brilhante e resplandecente.

"Eu vejo uma luz!", o galo gritou para seus amigos. "Deve haver uma casa nas proximidades, pois a luz não parece estar muito longe!"

"Se for assim", disse o burro, "seria melhor se nos levantássemos e investigássemos. Afinal de contas, esta floresta não é o melhor lugar para dormir, especialmente quando há algo perto que pode ser muito melhor! Eles podem ter um estábulo quentinho e aconchegante e um pouco de feno fresco para eu mastigar".

"Eu também não me importaria se tivesse um ou dois ossinhos, ou um pedaço de carne para comer", disse o cachorro.

"Talvez haja um cestinho aconchegante perto do fogo e um pedaço de peixe para jantar", disse a gata.

"Ou um galinheiro confortável com um pouco de milho saboroso para eu bicar", disse o galo.

Então, os quatro amigos decidiram que iriam procurar abrigos melhores para a noite. Eles partiram juntos pela floresta, em direção ao local em que o galo tinha visto a luz.

Ao se aproximarem, a luz cintilou cada vez mais, até que eles puderam ver uma agradável casinha, toda iluminada. Porém, descobriram que aquela era a casa na qual um bando de terríveis ladrões moravam.

O burro, sendo o mais alto, ergueu-se até a janela e espiou para dentro.

"Bem, burro, o que você vê?", perguntou o cachorro.

"O QUE EU VEJO? EU VEJO UMA GRANDE MESA DISPOSTA COM TODOS OS TIPOS DE COISAS ESPLÊNDIDAS PARA COMER", RESPONDEU O BURRO. "EU TAMBÉM VEJO UM BANDO DE LADRÕES AO REDOR DA MESA, COMENDO E BEBENDO E PARECENDO BEM CONFORTÁVEIS".

"ISSO PARECE SER BASTANTE APROPRIADO PARA NÓS", DISSE O GALO.

"SIM, DE FATO", DISSE O BURRO. "AGORA, SE PELO MENOS A GENTE PUDESSE ENTRAR LÁ..."

OS QUATRO AMIGOS TROCARAM IDEIAS JUNTOS SOBRE QUAL SERIA A MELHOR MANEIRA DE TIRAR OS LADRÕES DA CASA. APÓS MUITA DISCUSSÃO, ELES IMAGINARAM UM PLANO.

O BURRO FICOU EM PÉ SOBRE SUAS PERNAS TRASEIRAS, E COM SUAS PERNAS DIANTEIRAS ENCOSTADAS NA BANCADA DA JANELA, PARA DAR APOIO. O CACHORRO SUBIU NAS COSTAS DO BURRO, E ENTÃO A GATA ESCALOU SOBRE OS OMBROS DO CACHORRO. FINALMENTE, O GALO VOOU PARA O ALTO E SE EMPOLEIROU EM CIMA DA CABEÇA DA GATA.

QUANDO TODOS ESTAVAM PRONTOS, O BURRO DEU UM SINAL E OS ANIMAIS COMEÇARAM A FAZER SUA MÚSICA. O BURRO ZURROU EM VOZ ALTA, O CACHORRO LATIU FURIOSAMENTE, A GATA MIOU NO LIMITE DE SUA VOZ E O GALO CACAREJOU ENSURDECEDORAMENTE.

Então, os quatro animais estatelaram-se na janela, caindo entre o vidro quebrado com um ruído medonho! Os ladrões, que já estavam alarmados pela façanha barulhenta, pensaram que algum gnomo terrível deveria estar atrás deles, e todos deram no pé e fugiram para a floresta.

Uma vez que o cenário ficou desimpedido, os quatro amigos se sentaram à mesa e terminaram a esplêndida refeição dos ladrões, banqueteando-se como se não tivessem visto comida por um mês.

Quando terminaram a sua refeição, eles ligaram as luzes e cada um encontrou um lugar para dormir. O burro se deitou lá fora, no quintal, sobre uma pilha de palha; o cachorro se esticou sobre um tapete atrás da porta da frente; a gata se enrolou no piso em frente às cinzas da lareira; e o galo se acomodou sobre uma viga no teto. Logo eles adormeceram, pois estavam muito cansados de sua longa jornada.

Como a meia-noite se aproximava, os ladrões, que estavam observando de longe, viram que nenhuma luz estava acesa em sua pequena casa. Como tudo parecia quieto e sossegado, eles pensaram que talvez tivessem se apressado demais em fugir. O chefe, preocupado que tivessem deixado seu abrigo por um falso motivo, instruiu um dos ladrões a voltar à casinha e investigar.

O ladrão foi se arrastando até o casebre e espiou pelas janelas. Não vendo nada no interior e achando que tudo estivesse quieto, ele deu um jeito de entrar na escura cozinha. O ladrão tateou pelo escuro, tentando encontrar um fósforo para que pudesse acender uma vela. Ao ouvir um ruído, a gata, que estava dormindo em frente à lareira, acordou e abriu os olhos.

O ladrão avistou os cintilantes olhos da gata, mas ele os confundiu com carvões queimando na lareira. Ele marchou adiante, segurando o fósforo para tentar acendê-lo com os carvões, mas somente conseguiu cutucar o rosto da pobre gata. Imediatamente, a gata ficou furiosa e deu um grande salto, espetando e arranhando o rosto do infeliz ladrão, com suas garras.

O ladrão, assustado, gritou de terror e correu para a porta de entrada, mas tropeçou no cachorro, que foi acordado por todo aquele barulho. Imediatamente, o cachorro se pôs em pé, rosnando furiosamente e mordendo os calcanhares e pernas do ladrão com seus dentes afiados.

O INFELIZ LADRÃO FUGIU PELA PORTA ATÉ O QUINTAL, TOPANDO COM O BURRO, QUE TINHA SE LEVANTADO PARA INVESTIGAR O PORQUÊ DE TODA AQUELA CONFUSÃO. O BURRO DEU COICES NO LADRÃO COM SUAS PERNAS TRASEIRAS, ATINGINDO JUSTAMENTE O PEITO DO SUJEITO.

NESSE TEMPO TODO, O GALO, QUE TAMBÉM TINHA SIDO ACORDADO PELO BARULHO, FICOU NAS VIGAS, GRITANDO: "COCORICÓ", NO LIMITE DE SUA VOZ.

O LADRÃO CORREU DE VOLTA PARA SEU BANDO TÃO RÁPIDO QUANTO PÔDE, PARA LEVAR SUA INFORMAÇÃO AO CHEFE.

"FOI HORRÍVEL!", GRITOU O LADRÃO. "EU ENTREI NA COZINHA, ONDE FUI ATACADO POR UMA BRUXA TERRÍVEL, QUE ME BATEU E ARRANHOU COM SUAS LONGAS UNHAS AFIADAS!"

O LADRÃO FEZ UMA PAUSA, BUSCANDO FÔLEGO ANTES DE CONTINUAR.

"QUANDO FUGI DA CASA, FUI ATACADO POR UM HOMEM QUE ESTAVA ATRÁS DA PORTA E QUE PERFUROU MINHA PERNA COM UMA FACA AFIADA!", DISSE ELE.

ELE FEZ PAUSA PARA MOSTRAR AOS SEUS PARCEIROS SUA PERNA ENSANGUENTADA.

"Depois, escapei para o quintal", disse o ladrão, "onde deparei com um enorme monstro negro, que se levantou diante de mim e me acertou com seu imenso e pesado taco!"

Os outros membros do bando engasgaram, enquanto olhavam para os ferimentos do ladrão.

"E, finalmente, quando eu estava fugindo, um demônio gritou do telhado da casa: 'Joguem aquele cafajeste para mim!' berrou ele. Eu fugi tão depressa quanto podia e nunca vou voltar lá!", finalizou o assustado ladrão.

Dali em diante, os ladrões nunca ousaram retornar à casa. Os quatro viajantes ficaram tão contentes com seu novo abrigo que fizeram morada lá e nunca foram para Bremen. E dizem que eles lá estão até os dias de hoje...

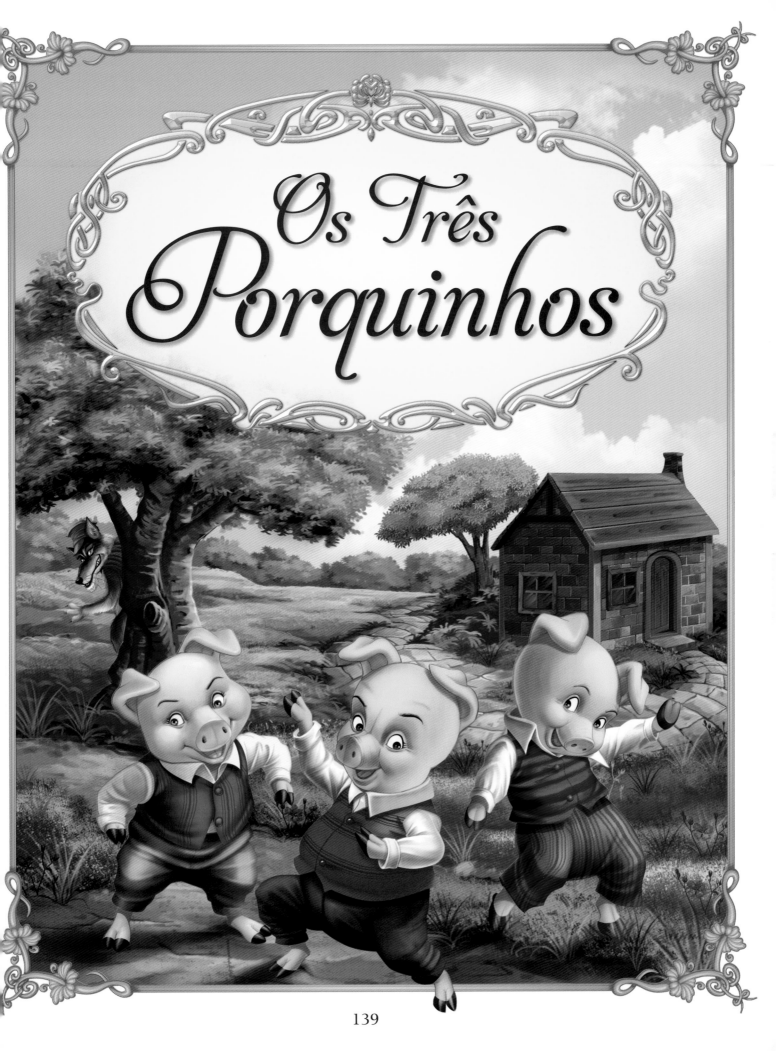

Os Três Porquinhos

Era uma vez... uma mamãe porca, que vivia com seus três porquinhos. Como não tinha dinheiro suficiente para cuidar deles, ela os mandou tentar a sorte pelo mundo.

Ao caminhar estrada afora, o primeiro porquinho encontrou um homem carregando um fardo de palha. "Por favor, senhor, dê-me essa palha para que eu possa construir uma casa com ela".

O homem deu a palha para o primeiro porquinho, que foi em frente e construiu uma casa com ela.

Ao caminhar estrada abaixo, o segundo porquinho encontrou um homem carregando um fardo de gravetos. "Por favor, senhor, dê-me esses gravetos para que eu possa construir uma casa com eles".

O homem deu os gravetos para o segundo porquinho, que foi em frente e construiu uma casa com eles.

Enquanto caminhava estrada abaixo, o terceiro porquinho encontrou um homem carregando uma pilha de tijolos. "Por favor, senhor, dê-me esses tijolos para que eu possa construir uma casa com eles".

O homem deu os tijolos para o terceiro porquinho, que foi em frente e construiu uma casa com eles.

Os três porquinhos viveram alegremente, até o dia em que um grande lobo mau foi até a casa de palha. O lobo bateu à porta da casa feita de palha e disse: "Porquinho, Porquinho, deixe-me entrar!"

O primeiro porquinho respondeu: "Não, não abro nem que a vaca tussa!"

"Então, eu vou bufar e assoprar e derrubarei a sua casa!", gritou o lobo.

E então o grande lobo mau bufou e assoprou e derrubou a casa de palha. O primeiro porquinho correu tão depressa quanto pôde para a casa de madeira de seu irmão.

DALI A POUCO, O GRANDE LOBO MAU FOI ATÉ A CASA DE MADEIRA. O LOBO BATEU À PORTA DA CASA FEITA DE GRAVETOS E DISSE: "PORQUINHO, PORQUINHO, DEIXE-ME ENTRAR!"

O PRIMEIRO E O SEGUNDO PORQUINHO RESPONDERAM: "NÃO, NÃO VAMOS ABRIR, NEM QUE A VACA TUSSA!"

"ENTÃO, EU VOU BUFAR E ASSOPRAR E DERRUBAREI A SUA CASA!", GRITOU O LOBO.

E ENTÃO O GRANDE LOBO MAU BUFOU E ASSOPROU E DERRUBOU A CASA DE MADEIRA. O PRIMEIRO E O SEGUNDO PORQUINHO CORRERAM TÃO DEPRESSA QUANTO PODIAM PARA A CASA DE TIJOLOS DE SEU IRMÃO.

Pouco depois, o grande lobo mau foi até a casa de tijolos. O lobo bateu à porta da casa feita de tijolos e disse: "Porquinho, Porquinho, deixe-me entrar!"

O primeiro, o segundo e o terceiro porquinho responderam: "Não, não vamos abrir nem que a vaca tussa!"

"Então, eu vou bufar e assoprar e derrubarei a sua casa!", gritou o lobo.

E então o grande lobo mau bufou e assoprou e bufou e assoprou e bufou com toda a sua força, mas não conseguiu derrubar a casa de tijolos.

Quando o lobo percebeu que não conseguiria derrubar a casa de tijolos com seu bufar e assoprar, disse: "Porquinho, eu sei onde há um formidável canteiro de nabos saborosos e suculentos".

"Onde?", perguntou o terceiro porquinho.

"Na plantação do Fazendeiro Zeca", respondeu o lobo. "Eu vou chamar você às seis horas, amanhã de manhã, e nós iremos juntos pegar um pouco para o nosso jantar".

Na manhã seguinte, o esperto terceiro porquinho acordou às cinco horas e foi sozinho apanhar nabos. "Você está pronto para colher alguns nabos?", perguntou o lobo, quando chegou à casa do porquinho às seis horas.

"Pronto? Eu já fui e voltei com uma boa panelada para o meu jantar!", respondeu o terceiro porquinho.

O lobo ficou muito zangado. Ele disse: "Porquinho, eu sei onde existe uma bela macieira".

"Onde?", perguntou o terceiro porquinho. "No pomar do Fazendeiro Juca", respondeu o lobo. "Eu vou chamar você às cinco horas, amanhã de manhã, e nós vamos juntos apanhar algumas maçãs suculentas e saborosas".

Entretanto, o esperto terceiro porquinho acordou às quatro horas e foi até a macieira. Como tinha de ir adiante, ele ainda estava no alto da árvore apanhando maçãs quando viu o zangado lobo se aproximando.

"Porquinho, desça e me diga se elas são maçãs boas", disse o lobo.

"Elas são muito boas", respondeu o terceiro porquinho. "Prove, deixe-me jogar uma para você". E ele jogou uma maçã tão longe que o lobo teve de andar um longo trajeto para pegá-la, e o porquinho então pôde saltar da árvore e correr para casa.

No dia seguinte, o lobo veio e disse ao terceiro porquinho: "Porquinho, há uma feira na cidade. Você iria comigo às três horas desta tarde?"

"Muito bem", disse o terceiro porquinho.

O terceiro porquinho partiu mais cedo para a feira e se divertiu bastante. Ele comprou um tonel de manteiga e estava rumando para casa quando viu o lobo vindo. Em pânico, ele engatinhou para dentro do tonel de manteiga para se esconder e este virou. E colina abaixo ele rolou. Quando viu o tonel rolando em sua direção, o lobo fugiu de medo.

O lobo foi até a casa do terceiro porquinho e lhe contou como ele tinha ficado assustado por uma coisa grande e redonda que viera rolando colina abaixo, em sua direção.

"Meu caro, eu me escondi dentro do tonel de manteiga quando o vi se aproximando, e ele rolou colina abaixo. Sinto muito se assustei você", disse o terceiro porquinho.

O lobo ficou mais zangado e jurou que desceria pela chaminé e comeria o primeiro porquinho, e o segundo porquinho, e o terceiro porquinho. Mas enquanto ele subiu no telhado, o terceiro porquinho fez uma fogueira ardente e colocou um grande caldeirão de água para ferver. Quando o lobo estava descendo pela chaminé, o terceiro porquinho retirou a tampa e — SPLASH! — o lobo caiu dentro da água escaldante.

O lobo uivou e pulou tão alto que saltou direto para fora da chaminé. Ele fugiu estrada afora tão rápido quando pôde. E os três porquinhos viveram felizes para sempre na casa de tijolos, e nunca mais viram o grande lobo mau.

Os Três Ratinhos Cegos

Os três ratinhos cegos, vejam como correm!
Todos correram atrás da mulher do fazendeiro,
Que cortou as caudas deles com uma faca de cozinha;
Você já viu algo assim na sua vida,
Como esses três ratinhos cegos?

Os Cinco Patinhos

Cinco patinhos foram passear
Além das montanhas
Para brincar.
A mamãe gritou: Quá, quá, quá, quá!
Mas só quatro patinhos voltaram de lá.

Quatro patinhos foram passear
Além das montanhas
Para brincar.
A mamãe gritou: Quá, quá, quá, quá!
Mas só três patinhos voltaram de lá.

Três patinhos foram passear
Além das montanhas
Para brincar.
A mamãe gritou: Quá, quá, quá, quá!
Mas só dois patinhos voltaram de lá.

DOIS PATINHOS FORAM PASSEAR
ALÉM DAS MONTANHAS
PARA BRINCAR.
A MAMÃE GRITOU: QUÁ, QUÁ, QUÁ, QUÁ!
MAS SÓ UM PATINHO VOLTOU DE LÁ.

UM PATINHO FOI PASSEAR
ALÉM DAS MONTANHAS
PARA BRINCAR.
A MAMÃE GRITOU: QUÁ, QUÁ, QUÁ, QUÁ!
MAS NENHUM PATINHO VOLTOU DE LÁ.

A MAMÃE PATINHA FOI PROCURAR
ALÉM DAS MONTANHAS
NA BEIRA DO MAR.
A MAMÃE GRITOU: QUÁ, QUÁ, QUÁ, QUÁ!
E TODOS OS CINCO PATINHOS VOLTARAM DE LÁ.

Maria tinha um carneirinho

Maria tinha um carneirinho,
Sua lã era branca como a neve;
E a todo lugar aonde Maria ia,
O carneirinho a seguia breve.

Um dia, à escola ele foi para a acompanhar;
O regulamento não o permitia;
Mas as crianças riram e brincaram

Ao ver um carneirinho na escola.

E então a professora o pôs para fora,
Mas ali por perto ele permaneceu,
E esperou pacientemente até
Que Maria apareceu.

"Por que o carneirinho gosta tanto assim
da Maria?"
Gritaram as crianças, impacientes;
"Porque Maria ama o cordeirinho, afinal",
Respondeu a professora, prontamente.

153

Os Animais Entraram Dois a Dois

Os animais entraram dois a dois, Viva! Viva!
Os animais entraram dois a dois, Viva! Viva!
Os animais entraram dois a dois, Viva! Viva!
O elefante e o canguru,
E todos eles entraram na arca
Para escapar da chuva.

Os animais entraram três a três, Viva! Viva!
Os animais entraram três a três, Viva! Viva!
Os animais entraram três a três, Viva! Viva!
A vespa, a formiga e o zangão.
E todos eles entraram na arca
Para escapar da chuva.

Os animais entraram quatro a quatro, Viva! Viva!
Os animais entraram quatro a quatro, Viva! Viva!
Os animais entraram quatro a quatro, Viva! Viva!
Os grandes hipopótamos ficaram presos na porta,
E todos eles entraram na arca
Para escapar da chuva.

Os animais entraram cinco a cinco, Viva! Viva!
Os animais entraram cinco a cinco, Viva! Viva!
Os animais entraram cinco a cinco, Viva! Viva!
Eles estavam tão felizes por estarem vivos...
E todos eles entraram na arca
Para escapar da chuva.

OS ANIMAIS ENTRARAM SEIS A SEIS, VIVA! VIVA!
OS ANIMAIS ENTRARAM SEIS A SEIS, VIVA! VIVA!
OS ANIMAIS ENTRARAM SEIS A SEIS, VIVA! VIVA!
ELES JOGARAM PARA FORA O MACACO POR CAUSA DE SEUS TRUQUES,
E TODOS ELES ENTRARAM NA ARCA
PARA ESCAPAR DA CHUVA.

OS ANIMAIS ENTRARAM SETE A SETE, VIVA! VIVA!
OS ANIMAIS ENTRARAM SETE A SETE, VIVA! VIVA!
OS ANIMAIS ENTRARAM SETE A SETE, VIVA! VIVA!
O PORQUINHO PENSOU QUE ESTIVESSE INDO PARA O CÉU,
E TODOS ELES ENTRARAM NA ARCA
PARA ESCAPAR DA CHUVA.

OS ANIMAIS ENTRARAM OITO A OITO, VIVA! VIVA!
OS ANIMAIS ENTRARAM OITO A OITO, VIVA! VIVA!
OS ANIMAIS ENTRARAM OITO A OITO, VIVA! VIVA!
A COBRA ESCORREGADIA DESLIZOU SOB O PORTÃO,
E TODOS ELES ENTRARAM NA ARCA
PARA ESCAPAR DA CHUVA.

OS ANIMAIS ENTRARAM NOVE A NOVE, VIVA! VIVA!
OS ANIMAIS ENTRARAM NOVE A NOVE, VIVA! VIVA!
OS ANIMAIS ENTRARAM NOVE A NOVE ,VIVA! VIVA!
O RINOCERONTE ENCOSTOU-SE NO PORCO-ESPINHO,
E TODOS ELES ENTRARAM NA ARCA
PARA ESCAPAR DA CHUVA.

OS ANIMAIS ENTRARAM DEZ A DEZ, VIVA! VIVA!

OS ANIMAIS ENTRARAM DEZ A DEZ, VIVA! VIVA!
OS ANIMAIS ENTRARAM DEZ A DEZ, VIVA! VIVA!
E NOÉ DISSE: "VAMOS COMEÇAR NOVAMENTE!"
E TODOS ELES ENTRARAM NA ARCA
PARA ESCAPAR DA CHUVA.

Os Três Gatinhos

Os três gatinhos perderam suas luvas,
E começaram a chorar,
Oh!, querida mãe, sentimos muito,
Que nossas luvas perdemos.
O quê! Perderam suas luvas, seus gatinhos desobedientes!
Então vocês não comerão nenhuma torta.
Miau, miau, miau,
Não, vocês não comerão nenhuma torta.

Os três gatinhos encontraram suas luvas,
E eles começaram a chorar,
Oh!, querida mãe, veja aqui, veja aqui,
Nossas luvas encontramos!
Coloquem suas luvas, gatinhos bobos,
E comerão alguma torta.
Purr-r,-r ronronar, purr-r,
Oh!, vamos ter alguma torta.

Os três gatinhos colocaram suas luvas,
E logo comeram a torta;
Oh!, querida mãe, sentimos muito,
Que nossas luvas sujamos.
O quê! Sujaram suas luvas,
seus gatinhos desobedientes!
Então eles começaram a suspirar,
Miau, miau, miau.
Então eles começaram a suspirar.

Os três gatinhos lavaram as suas luvas,

E as penduraram para secar;

Oh!, Mãe querida, não ouviu

Que lavamos nossas luvas?

O quê! Lavaram as luvas, seus gatinhos bons!

Mas eu cheiro um rato por perto.

Miau, miau, miau,

Sentimos o cheiro de um rato por perto...

Os Seis Ratinhos

Seis ratinhos sentaram-se para tecer,

A gatinha passou, espiou para dentro:

O que estão fazendo, pequenos homenzinhos?

Tecendo casacos para cavalheiros.

Devo entrar e cortar o fio?

Não, não, senhora gata, você irá morder nossas cabeças!

Oh!, não, Não irei,

irei ajudá-los a tecer.

Talvez seja até verdade,

mas você não pode

entrar!

O Lobo e os Sete Cabritinhos

ERA UMA VEZ... UMA CABRA QUE TEVE SETE CABRITINHOS. ELA OS AMAVA A TODOS, TANTO QUANTO QUALQUER MÃE AMA SEUS FILHOTES. UM DIA, ELA TEVE DE IR PARA A FLORESTA PEGAR UM POUCO DE COMIDA PARA TODOS ELES.

A MÃE CABRA CHAMOU TODOS OS SEUS FILHOTES E LHES DISSE: "QUERIDOS FILHOS, TENHO DE IR PARA A FLORESTA. ASSIM, NÃO ABRAM A PORTA ENQUANTO EU ESTIVER FORA. VOCÊS PRECISAM TER CUIDADO COM O LOBO. SE ELE ENTRAR, VAI COMER TODOS VOCÊS E NÃO RESTARÁ NEM MESMO UM PELINHO. O LOBO MUITAS VEZES TENTA SE DISFARÇAR, MAS VOCÊS VÃO RECONHECÊ-LO IMEDIATAMENTE PELA SUA VOZ GROSSA E SUAS PATAS PRETAS".

"QUERIDA MAMÃE, NÓS SEREMOS MUITO CUIDADOSOS E NÃO DEIXAREMOS O LOBO ENTRAR!", DISSERAM OS SETE CABRITINHOS. "NÃO HÁ NECESSIDADE DE SE PREOCUPAR CONOSCO". ENTÃO A MÃE CABRA BALIU E SEGUIU SEU CAMINHO COM A MENTE EM PAZ.

NÃO DEMOROU MUITO E OUVIU-SE UMA BATIDA FORTE À PORTA E UMA VOZ GRITOU: "ABRAM A PORTA, MEUS QUERIDOS FILHOTES! É A SUA MÃE E EU TROUXE ALGO DE VOLTA PARA CADA UM DE VOCÊS".

MAS OS CABRITINHOS SABIAM, PELA VOZ RUDE, QUE ERA O LOBO.

"Não vamos abrir a porta!", eles berraram. "Você não é a nossa mãe! A voz da nossa mãe é suave e gentil. A sua voz é rude e áspera. Você é um Lobo!"

O velho Lobo correu para uma loja e comprou para si um grande pedaço de giz, que ele comeu para suavizar a voz, retorcendo seu rosto por causa do sabor desagradável. Então ele retornou e bateu à porta, chamando em voz suave: "Abram a porta, queridos filhotes! É a sua mãe e eu trouxe algo para cada um de vocês".

Mas o Lobo tinha colocado uma de suas patas pretas na soleira da janela. Os Sete Cabritinhos a viram e gritaram: "Não abriremos a porta! Você não é a nossa mãe! Os pés da nossa mãe são brancos. Os seus são pretos. Você é um Lobo!"

O velho Lobo correu até o padeiro e disse a ele: "Senhor padeiro, coloque um pouco de massa de pão no meu pé, pois eu o torci".

Depois de o padeiro ter esfregado massa em seu pé, o Lobo foi até o moleiro e disse: "Espalhe um pouco de farinha branca no meu pé".

O moleiro pensou consigo: "O Lobo quer enganar alguém", e se recusou a fazê-lo. Mas o Lobo disse: "Se você não o fizer, eu o devorarei". Isso assustou o moleiro, então ele fez como o Lobo tinha pedido e polvilhou farinha branca sobre sua pata.

Então o Lobo voltou para a casa dos cabritos e bateu à porta. Ele chamou com voz suave: "Abram a porta, queridos filhotes! É a sua mãe".

Os Sete Cabritinhos gritaram: "Primeiro, mostre-nos o seu pé!"

Então o Lobo colocou aquele seu pé que estava branco. Eles pensaram que fosse o pé da mãe deles, e abriram a porta. Mas não era! Era o Lobo!

166

Todos os Cabritinhos correram para se esconder. O primeiro se escondeu debaixo da mesa, o segundo na cama, o terceiro no forno, o quarto na cozinha, o quinto no armarinho, o sexto debaixo da pia e o sétimo, que era o mais esperto de todos, no relógio de pé. O Lobo rapidamente os descobriu e os devorou. Entretanto, ele não encontrou o cabritinho mais jovem, que estava dentro do relógio.

Após ter satisfeito o seu apetite, o Lobo se sentiu muito sonolento. Ele foi para fora e encontrou um pouco de grama verde debaixo de uma árvore, na campina. Ali se deitou e dormiu.

Um pouco mais tarde, a mãe cabra voltou da floresta. A porta estava escancarada, as mesas e cadeiras estavam derrubadas, a bacia de se lavar estava quebrada em pedaços, e a roupa de cama tinha sido arrancada. Ela procurou por seus filhotes, mas nenhum estava à vista. Ela os chamou pelo nome, um após o outro, mas não houve resposta, até que ela chamou o caçula. Então uma voz suave chamou: "Querida mãe, estou escondido dentro do relógio!"

A mãe cabra resgatou o filhote caçula do relógio e ficou sabendo como o Lobo havia comido seus queridos filhotes. Ela foi para fora e viu o Lobo na campina, dormindo profundamente na grama.

Quando a cabra olhou para o Lobo, viu que sua barriga estava pulando e sacudindo.

"Meu Deus!", ela pensou. "Será possível que meus pobres filhotes ainda estejam vivos?"

A MÃE CABRA MANDOU O FILHOTE CAÇULA PARA DENTRO, PARA APANHAR UMA TESOURA, AGULHA E LINHA. ELA RAPIDAMENTE FEZ UM CORTE NA BARRIGA DO LOBO. NO PRIMEIRO CORTE DA TESOURA, UM DOS CABRITINHOS COLOCOU SUA CABEÇA PARA FORA DO BURACO. ELA CORTOU MAIS UM POUCO E, UM APÓS O OUTRO, TODOS OS SEIS PULARAM PARA FORA. ELES NÃO ESTAVAM NEM UM POUCO MACHUCADOS! ELES ABRAÇARAM SUA MÃE E SALTITARAM PELA GRAMA.

A MÃE CABRA DISSE: "RÁPIDO, VÃO E PROCUREM ALGUMAS PEDRAS GRANDES DO RIACHO!"

OS SETE CABRITINHOS FORAM CORRENDO AO RIACHO E LOGO RETORNARAM COM SETE PEDRAS GRANDES. ELES COLOCARAM AS PEDRAS DENTRO DA BARRIGA DO LOBO, E A MÃE CABRA A COSTUROU TÃO GENTIL E QUIETAMENTE QUE ELE NÃO ACORDOU OU SE MOVEU.

Por fim, o Lobo acordou sentindo muita sede. Ele se levantou e as pedras em sua barriga começaram a chacoalhar e bater umas contra as outras. Ele caminhou lentamente até o riacho para beber, mas quando se inclinou, as pedras eram tão pesadas que o tombaram para dentro da água profunda. Ele afundou sem vestígios e os Sete Cabritinhos dançaram de alegria, cantando: "O Lobo se foi! O Lobo se foi!". A mãe cabra abraçou seus Sete Cabritinhos e todos eles viveram felizes e a salvo para sempre.

A Princesa e o Sapo

ERA UMA VEZ UM REI. SUAS FILHAS ERAM TODAS MUITO BONITAS, MAS A MAIS JOVEM ERA A MAIS BELA DE TODAS. EXISTIA UMA GRANDE FLORESTA PERTO DO CASTELO DO REI, E NELA HAVIA UM POÇO BEM FUNDO. EM DIAS DE CALOR, A FILHA MAIS JOVEM IA ATÉ A FLORESTA E SE SENTAVA EMBAIXO DE UMA ÁRVORE, PERTO DE UM POÇO, PARA BRINCAR SOB A SOMBRA FRESCA. A BRINCADEIRA FAVORITA DA PRINCESA CAÇULA ERA JOGAR UMA BOLA DOURADA PARA O ALTO, E RAPIDAMENTE APANHÁ-LA NO AR.

Até que um dia, enquanto estava sentada perto do poço, a princesa jogou a bola tão alto, que em vez de cair em suas mãos estendidas, ela rolou pelo gramado e foi parar dentro do poço fundo. A princesa correu até o poço para procurar a bola, mas nada conseguiu, porque o poço era tão profundo, que não dava para ver coisa alguma dentro dele. A jovem princesa começou a chorar pela perda do seu brinquedo favorito, e ficou muito triste.

Enquanto estava sentada, chorando, a jovem princesa ouviu alguém chamá-la. "Por que você está chorando, princesa?", disse a voz.

"E chora tanto, que até um coração de pedra você conseguiria partir..."

A princesa procurou de onde vinha a voz, e viu que um sapo erguera sua cabeça feia para fora do poço e estava falando com ela.

"Ai, sapo nojento!", ela respondeu. "Estou chorando por causa da minha bola dourada. Ela caiu dentro do poço e está perdida. Oh, eu daria tudo para tê-la de volta!"

"Não chore, princesa", disse o sapo pegajoso. "Posso ajudá-la, mas o que você me dará se eu trouxer sua bola de volta?"

174

"QUALQUER COISA QUE VOCÊ PEDIR, QUERIDO SAPO", DISSE A PRINCESA. "EU LHE DOU TODAS AS MINHAS ROUPAS FINAS, MINHAS JOIAS, MINHAS PÉROLAS, E ATÉ MESMO A COROA DE OURO EM MINHA CABEÇA, SE EU PUDER TER A MINHA BOLA DE VOLTA!"

"EU NÃO ME IMPORTO COM ROUPAS FINAS, JOIAS, PÉROLAS OU COROAS DE OURO", RESPONDEU O SAPO. "MAS SE VOCÊ GOSTAR DE MIM E ME DEIXAR SER SEU AMIGO, SENTAR-ME A SEU LADO, À MESA, COMER EM SEU PRATO DOURADO, BEBER EM SUA TAÇA DOURADA, E DORMIR SOBRE O SEU TRAVESSEIRO, EM SUA CAMA - SE VOCÊ ME PROMETER ISSO TUDO — ENTÃO EU TRAREI DE VOLTA SUA BOLA DOURADA DO FUNDO DO POÇO."

"Oh, sim!", gritou a princesa. "Se você trouxer minha bola de volta, eu prometo que farei tudo que pedir."

Mas, na verdade, a princesa estava pensando: "Como este sapo é bobo! Tudo que ele pode fazer é se sentar na beira do poço, com os outros sapos, e coaxar o dia inteiro. Ele não serve para ser amigo de ninguém!"

Então, o sapo mergulhou no fundo do poço. Depois de um tempo, voltou à superfície, segurando a bola dourada da princesa em sua boca. Ele jogou a bola para fora do poço e ela caiu na grama. A princesa correu e, alegremente, pegou a bola.

A PRINCESA ESTAVA TÃO FELIZ POR TER SUA BOLA DE VOLTA, QUE SAIU CORRENDO, SEM PENSAR NO SAPO E NA PROMESSA FEITA.

"ESPERE, PRINCESA! NÃO SE ESQUEÇA DE SUA PROMESSA!", GRITOU O SAPO. "DEIXE-ME IR COM VOCÊ! NÃO POSSO CORRER TÃO RÁPIDO QUANTO VOCÊ!"

MAS A PRINCESA NÃO OUVIU OS GRITOS DO SAPO ENQUANTO CORRIA PARA SEU CASTELO. O POBRE SAPO FOI DEIXADO PARA TRÁS, DENTRO DO POÇO.

No dia seguinte, a jovem princesa estava à mesa, jantando com seu pai e suas irmãs, comendo em seu prato dourado e bebendo em sua taça dourada. De repente, ela ouviu um barulho estranho, como se algo estivesse subindo as escadas de mármore: splish, splash, splish, splash. Logo se ouviu uma gentil batida à porta, e então uma voz gritou:

"Abra a porta, filha caçula, lembre-se de sua promessa no poço! Abra a porta, querida princesa! Seu verdadeiro amor a aguarda aqui!"

A princesa correu até a porta para ver quem estaria batendo, mas, quando a abriu, viu o sapo do poço sentado ali. Ela fechou a porta, apavorada, e correu de volta à mesa.

No entanto, seu pai percebeu que algo a havia assustado e perguntou: "O que a aflige, minha filha? Alguma fera está vindo para levá-la embora?"

"NÃO É NENHUMA FERA, PAPAI", EXPLICOU A PRINCESA. "É APENAS UM SAPO FEIO."

"UM SAPO?", PERGUNTOU O REI, SURPRESO. "O QUE UM SAPO QUER COM VOCÊ?" "ONTEM EU ESTAVA BRINCANDO COM MINHA BOLA DOURADA, PERTO DO POÇO", A PRINCESA RESPONDEU. "ELA CAIU NO POÇO E EU NÃO CONSEGUI PEGÁ-LA, POIS É MUITO FUNDO. ENTÃO, ESSE SAPO FOI BUSCAR A BOLA PARA MIM, DEPOIS QUE EU PROMETI QUE ELE PODERIA SER MEU AMIGO E ME ACOMPANHAR. EU NÃO PENSEI QUE ELE FOSSE SAIR DO POÇO, MAS ELE ESTÁ AQUI, BATENDO À PORTA, E QUER ENTRAR."

Novamente ouviu-se uma batida à porta, e mais uma vez o sapo gritou:

"Abra a porta, filha caçula. Lembre-se de sua promessa no poço! Abra a porta, querida princesa! Seu verdadeiro amor a aguarda aqui!"

O rei virou-se para sua filha e disse: "Se você prometeu, deve manter sua palavra. Não pode recusar-se a ajudar alguém que a ajudou. Vá e deixe o sapo entrar."

Então a princesa abriu a porta e deixou o sapo entrar. Ele pulou atrás dela, e sentou-se a seu lado, à mesa.

"Levante-me, assim vou poder comer em seu prato dourado e beber em sua taça também!", disse o sapo.

A princesa tentou resistir, mas seu pai ordenou que ela honrasse sua promessa. "Você cumprirá sua promessa, minha filha", disse o rei.

Então a princesa ergueu o sapo até a altura da mesa, onde ele comeu em seu prato dourado e bebeu em sua taça dourada. O sapo comeu bem, mas a princesa quase nem tocou na comida, de tanto nojo e tristeza que sentiu.

Então o sapo disse: "Agora, princesa, estou cansado. Carregue-me para seu quarto, lá em cima, que vou dormir perto de você, em sua cama."

A princesa começou a chorar, pois ela odiava pensar que um sapo desagradável iria dormir em seus lindos lençóis de seda. Mas seu pai olhou bravo para ela e disse, novamente: "Se você prometeu, deve cumprir sua promessa. Não se esqueça de seu compromisso. Lembre-se que, quando você precisou, ele a ajudou."

Então a princesa subiu as escadas com o sapo, até o quarto, e o colocou sobre o seu travesseiro, onde ele dormiu a noite toda. Assim que o sol apareceu, o sapo pulou escada abaixo e voltou para o poço.

"Enfim, ele se foi", pensou a princesa, com alívio. "E nunca mais vou voltar a vê-lo."

Mas, na noite seguinte, enquanto estava sentada para o jantar, a jovem princesa novamente ouviu uma gentil batida à porta, e uma voz gritando:

"Abra a porta, filha caçula. Lembre-se de sua promessa no poço! Abra a porta, querida princesa! Seu verdadeiro amor a aguarda aqui!"

Sem muita vontade, a princesa deixou o sapo jantar com ela e deixou-o dormir sobre o seu travesseiro.

Ela estava se acostumando com ele, agora, e nem o achava mais tão desagradável. Afinal de contas, ele era um sapo gentil, com boas maneiras e olhos bem amáveis. Novamente, ao nascer do sol o sapo pulou escada abaixo, de volta ao poço, e a princesa descobriu que, na verdade, sentia falta de sua companhia.

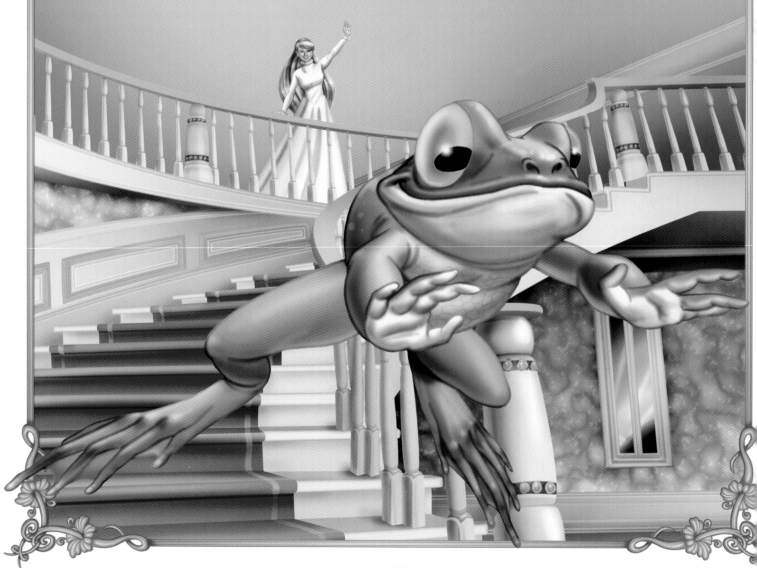

A PRINCESA NÃO FICOU SURPRESA AO OUVIR OUTRA BATIDA À PORTA, NA TERCEIRA NOITE, E UMA VOZ GRITAR:

"ABRA A PORTA, FILHA CAÇULA. LEMBRE-SE DE SUA PROMESSA NO POÇO! ABRA A PORTA, QUERIDA PRINCESA! SEU VERDADEIRO AMOR A AGUARDA AQUI!"

MAIS UMA VEZ, ELA JANTOU COM O SAPO. MAS DESTA VEZ, BEM FELIZ. ELA GENTILMENTE CONVERSOU COM ELE, ENQUANTO JANTAVAM, E O CARREGOU PARA SEU QUARTO, ONDE ELE NOVAMENTE DORMIU SOBRE O SEU TRAVESSEIRO.

Imagine a surpresa da princesa na manhã seguinte, ao nascer do sol, quando acordou! A princesa se espantou ao ver, em vez de um sapo, um belo príncipe em pé, ao lado de sua cama, olhando para ela com ternura.

"Você quebrou o feitiço", o lindo príncipe disse. "Venha comigo para o reino de meu pai e case-se comigo. Eu a amarei para sempre."

A jovem princesa ficou muito contente e aceitou o pedido de casamento.

Enquanto eles conversavam, uma carruagem dourada parou do lado de fora, guiada por oito cavalos fortes, enfeitados com penas e arreios dourados. Atrás da carruagem estava Henry, o fiel criado do príncipe, que havia ficado muito infeliz e com o coração despedaçado quando seu querido senhor fora transformado em sapo, por uma bruxa.

O leal Henry ajudou o príncipe e a princesa a entrarem na carruagem e os levou até o reino.

Enquanto se afastavam, ouviram o som da voz do leal Henry cantando de alegria por ver seu senhor novamente livre e feliz. Quando chegaram ao reino, o príncipe e a princesa se casaram e viveram felizes para sempre.